Karen Templeton

Un regalo para siempre

Editado por HARLEQUIN IBÉRICA, S.A.
Núñez de Balboa, 56
28001 Madrid

UN REGALO PARA SIEMPRE, Nº 1998 - 16.10.13
Título original: A Gift for All Seasons
Publicada originalmente por Harlequin Enterprises, Ltd.

I.S.B.N.: 978-84-687-3600-6
Depósito legal: M-22486-2013
Editor responsable: Luis Pugni
Impresión en Black print CPI (Barcelona)
Fecha impresión Argentina: 14.4.14
Distribuidor exclusivo para España: LOGISTA
Distribuidor para México: CODIPLYRSA
Distribuidores para Argentina: interior, BERTRAN, S.A.C. Vélez Sársfield 1950 Cap. Fed./ Buenos Aires y Gran Buenos Aires, VACCARO SÁNCHEZ y Cía, S.A.

Capítulo 1

APRIL Ross, llorona por naturaleza, era de las que siempre tenía un pañuelo de papel en la mano por si acaso y las semanas anteriores habían sido una montaña rusa emocional de reencuentros y replanteamientos de lo que quería en la vida. Sin embargo, ¿estar a punto de llorar por unas cuantas plantas? Eso era peor que penoso. Sobre todo, cuando ella era la que había dicho que no pasaba nada, que bastaba con ir al vivero, elegir unos árboles y contratar a un par de hombres para que los plantaran. No era de extrañar que sus primas hubieran puesto los ojos en blanco.

En ese momento, arrebujada en su grueso jersey para protegerse del viento que soplaba en el centro de jardinería, dio media vuelta, pasó entre unas calabazas y se dirigió hacia la recepción, donde el hombre negro con barba gris que estaba detrás de la caja registradora dejó escapar una risotada.

—Me parece que hay alguien un poco desbordado —comentó él en ese tono de Maryland que le evocó inmediatamente los veranos de la infancia—. Además de medio congelado. Acérquese primero a la estufa y dígame luego qué puedo hacer para ayudarla. Creo que sé casi todo lo que hay aquí. Me parece que tiene preguntas que hacer, hágalas.

April estuvo a punto de llorar otra vez, tanto por su amabilidad como por el calor que desprendía el enorme cilindro metálico.

—Tengo una hectárea y media de polvo y escombros que hay que ajardinar para mediados de diciembre, cuando lleguen mis primeros huéspedes —le explicó ella mientras se quitaba los guantes.

—¿Usted es la mujer que está arreglando Rinehart? —le preguntó él arqueando las cejas.

—Esa soy yo —April se pasó un mechón de pelo por detrás de la oreja y tendió la mano—. April Ross.

—Sam Howell. Es un placer, jovencita —él le estrechó la mano—. Una hectárea y media...

Se oyó el grito emocionado de una niña que les interrumpió la conversación. Sam sonrió y salió de detrás del mostrador justo antes de que una niña muy pequeña y morena se abalanzara sobre él. Después de abrazarlo con todas sus fuerzas, la pequeña, con las mejillas rosadas, unos pantalones azules y un chaquetón morado, se apartó un poco. April se quedó sin respiración.

—¡Papá me ha dicho que puedo elegir una calabaza para Halloween! —exclamó mientras se agarraba al mostrador para levantar un pie con una deportiva muy brillante—. ¡Y tengo zapatos nuevos!

—Son muy bonitos, señorita Lili. ¿Los ha elegido tu papá?

—No, los he elegido yo sola —contestó ella con firmeza—. A mamá le gustarán, ¿verdad?

—Sí, claro, estoy seguro de que....

La pequeña sonrió a April antes de bajar el pie otra vez y de dar un par de vueltas para admirarlas.

—Papá dice que son mis zapatos de princesa.

—Desde luego —confirmó April riéndose.

Entonces, oyó una risa y soltó de golpe todo el aire que había estado conteniendo. Sobre todo, cuando el hombre, alto, con espaldas anchas y una de esas gorras con alas que le tapaban las mejillas, tomó a la niña en brazos y le mordisqueó el hombro para que Lili se riera. April se sintió como si cayera sin paracaídas. Automáticamente, el pulgar dio la vuelta a sus anillos hasta que los diamantes se le clavaron en la piel. Era una sensación tranquilizadora. Debería habérselos quitado, pero hacían que se sintiera... a salvo. Como si el hombre más generoso y delicado que había conocido todavía estuviera vigilándola y animándola.

—Señora Ross —dijo Sam después de que el hombre hubiese conseguido dejar a la niña en el suelo para que fuese a buscar la calabaza—, le presento a Patrick Shaughnessy. Esta joven te necesita —añadió guiñándole un ojo a April.

Hacía frío, pero ella notó que se le acaloraban las mejillas mientras miraba boquiabierta a Sam, quien se rio por lo mal que estaba pasándolo.

—Los Shaughnessy tienen una de las mejores empresas de paisajismo del condado.

—Del condado...

Patrick se giró lo suficiente para que ella pudiera verle los ojos, más azules todavía que los de ella y resplandecientes entre las sombras de la gorra pero que, inexplicablemente, se apagaron al encontrase con los de ella.

—De toda la Costa Este —acabó él antes de estrecharle rápidamente la mano.

Volvió a meterse la mano en el bolsillo del chaquetón de lona, muy sencillo y no muy limpio precisamente, y desvió la mirada para vigilar a su hija, quien caminaba entre las filas de calabazas con aire de experta.

—Al parecer, necesita ayuda...

—Bueno, creí que podría comprar unos árboles y contratar a alguien para que los plantara. Hasta que llegué aquí y me acordé de que no sé cuidar ni un geranio.

A ella le pareció que él había esbozado algo ligeramente parecido a una sonrisa.

—¿Qué tamaño tiene el terreno?

—Una hectárea y media o así.

Ella sintió otra corriente y se arropó más con el jersey. Nunca había estado allí en otoño y no sabía lo frío y húmedo que podía ser.

—Estoy convirtiendo la casa de mi abuela en una posada y tiene que tener un aspecto aceptable.

—¿La casa de Rinehart? —preguntó él con esa especie de sonrisa.

—Sí. ¿Por qué lo...?

—Es un pueblo pequeño.

Empezaba a molestarle que él mirara hacia otro lado, sobre todo, porque Sam había ido a ayudar a Lili y no tenía que vigilarla.

—¿Tiene un presupuesto? —le preguntó él con los brazos cruzados.

—La verdad es que no.

Por fin, él la miró a los ojos y ella notó que se

abrasaba como si fuera una chiquilla y en muchos sentidos.

—¿Un par de cientos? —preguntó él mirando otra vez a su hija—. ¿Un par de miles?

—Entiendo, pero, sinceramente, no lo sé. Aunque... el dinero no será un inconveniente.

Seguía impresionada. El abogado tuvo que leerle tres veces el testamento de Clayton para estar segura de que había oído bien. Aunque la carta de Clay la leyó ella sola.

Sí, es todo tuyo, para que hagas lo que quieras. Como verás, he cumplido mi promesa, también...

—¿Y aun así pensaba hacerlo todo sola? —le preguntó Patrick.

—Creo que está muy claro que no lo había pensado en absoluto —contestó ella riéndose—. Estoy casi siempre... por allí. ¿Podría acercarse algún día de la semana que viene?

—Claro, pero antes tendré que repasar la agenda.

—Fantástico. Tenga.

April dejó las gafas de sol y los guantes en el mostrador, rebuscó en el único bolso de marca que tenía, sacó una tarjeta y se la entregó a Patrick. Él la miró como si quisiera memorizarla y sacó otra de un bolsillo.

—Tenga, esta es la nuestra...

—¡Papá! ¡He encontrado una!

—Ahora voy, cariño.

April vio que la tensión se disipaba de su cuerpo... y que reaparecía cuando volvía a mirarla a los ojos antes de inclinar un poco la cabeza y alejarse.

April se colgó el bolso del hombro, pensó que era

un tipo muy raro y se montó en el Lexus, un coche que cinco años antes ni siquiera habría soñado que sería suyo. Sin embargo, acababa de agarrar el volante de madera cuando se dio cuenta de que se había olvidado las gafas de sol. Por eso nunca se compraba unas de más de diez dólares. Volvió al vivero, las agarró del mostrador, con los guantes, y oyó otra vez las irresistibles risas de Lili. La curiosidad la llevó a acercarse a las calabazas, donde Patrick le tomaba el pelo a su hija.

—Esta. No, esta. Pensándolo mejor... creo que esta...

Afortunadamente, él estaba de espaldas y pudo disfrutar con la escena, aunque le desgarraba el corazón. Se había quitado esa absurda gorra y pudo ver su pelo moreno, aunque tenía un corte casi militar... Él se dio la vuelta repentinamente, su sonrisa se esfumó y la miró desafiantemente con todo el lado derecho de la cara arrugado y descolorido. Ella, espantada, se quedó boquiabierta. Salió del vivero tambaleándose, llegó hasta el coche y se apoyó en él para contener la náusea. No por la cara de él, sino por lo que había hecho ella. Se dio la vuelta lentamente. Le escocían los ojos por el viento y las lágrimas mientras se planteaba varias posibilidades como, por ejemplo, montarse en el coche y marcharse a Uruguay. Aunque no podía, entre otras cosas, porque no tenía el pasaporte. Tomó aliento, agarró el bolso y volvió hacia el vivero con las piernas temblorosas. Sam se rio cuando entró en el despacho.

—¿Qué se ha olvidado ahora?

—Al parecer, mi sentido común —contestó ella alargando el cuello—. ¿Sigue Patrick por aquí?

—Acaba de marcharse. ¿Necesita algo más? —preguntó él cuando ella resopló con fastidio.

April negó con la cabeza y volvió a su coche sintiéndose la peor persona del universo.

Patrick, con esa mezcla de fastidio y resignación que acompañaba a casi todo lo que le pasaba esos días, decidió que era la reacción que podía esperar. Lo que no había podido esperar era la reacción de sus entrañas y de otra parte del cuerpo a esa rubia rojiza, menuda y guapa. Sonrió sin ganas. No estaba muerto o, al menos, su libido no lo estaba. Sería completamente tonto, pero no estaba muerto. A juzgar por cómo había reculado ella, la atracción no era recíproca. Además, aunque lo hubiese sido, esas piedras preciosas que le adornaban el dedo eran como un campo de fuerza contra cualquier pensamiento posterior.

Sin embargo, lo que no se había planteado era si seguir él con el encargo o cedérselo a su padre o a uno de sus hermanos. No quería tentaciones ni frustraciones, pero, por otro lado, ¿por qué iba a perder la ocasión de fastidiarla un rato? Efectivamente, en esos momentos era feo e insoportable, pero el mundo estaba lleno de feos insoportables y las guapas April Rosses del mundo tenían que enterarse. Llegó al cruce de St. Mary's Cove y estiró trabajosamente los dedos de la mano derecha. Los músculos ya respondían después de cuatro años de fisioterapia y operaciones. Al menos tenía la mano...

—Papá...

Y su hija al menos tenía un padre aunque lo hubiesen reconstruido como si fuese Frankenstein. Miró por el retrovisor con un nudo en la garganta y vio el principal motivo para que siguiera vivo. Estaba muy agradecido a los especialistas en quemaduras, fisioterapeutas y psicólogos que lo habían reconstruido, pero cuando el suplicio físico lo tentó para que tirara la toalla, se acordó de que tenía una hija que lo necesitaba, aunque su madre no lo necesitara, y encontró la forma de seguir adelante un día y otro y otro más...

—¿Podemos hacerle la cara a la calabaza esta noche?

—Todavía no, cariño —contestó él mirando hacia la carretera flanqueada por campos llanos—. Es demasiado pronto. Si la hacemos hoy, en Halloween tendrá un aspecto mustio y triste.

—¿Cuánto falta?

—Cinco noches.

Él le sonrió por el espejo. Para ella, solo era «papá». Le daba igual su aspecto físico, solo le importaba lo que hiciese y lo que había hecho desde que su madre se marchó había sido dejarle muy claro a su hija que nunca jamás volvería a irse a ninguna parte.

—¿Crees que podrás esperar?

—Supongo... —contestó ella con un suspiro muy exagerado.

Un suspiro que le recordó a Natalie y a su expresión de «valiente pero no mucho» cuando él por fin volvió a casa y el matrimonio fue muriéndose a borbotones. Algo que no le extrañó después de lo que había pasado. Al contrario que la decisión de ella de concederle la custodia plena de su hija, que lo dejó estupefacto.

—¿Adónde vamos?

—A casa de la abuela.

El silencio no fue un buen augurio y él siguió para adelantarse a la queja inevitable.

—Lo siento, cariño, pero tengo que volver al trabajo.

Una de las muchas ventajas de ser siete hermanos que vivían muy cerca era que siempre había alguno que podía ocuparse de Lili. En realidad, su madre y Frannie, su hermana mayor, que tenía cuatro hijos, solían pelearse por ese privilegio. Sin embargo, durante los últimos meses, Lilianna se había puesto nerviosa cuando él se marchaba. Sobre todo porque las escasas apariciones de su exesposa desorientaban a Lili en vez de tranquilizarla.

Entró en el camino que llevaba a la casa de sus padres en St. Mary's. Kate O'Hearn Shaughnessy, con pantalones, jersey de pescador y botas, los saludó con una sonrisa desde la puerta de entrada y tomó a su nieta entre los delgados brazos. Si se pasaban por alto los mechones plateados de su flequillo y de su coleta y las pequeñas arrugas que le rodeaban sus ojos azules, todavía se podía ver a la morena que dejó sin habla a Joseph Shaughnessy cuando la vio hacía cuarenta años en la boda de un primo lejano. Todo lo que le faltaba de tamaño lo suplía con su energía y una mirada fulminante que hacía llorar a hombres hechos y derechos.

—Vete a ver al abuelo —le dijo ella arreglándole los rizos antes de dejarla en el suelo—. Está en la cocina.

Luego, lo miró con los mismos ojos serios que él vio cuando salió del coma inducido en el hospital militar de San Antonio. Si tenía miedo o preocupación, los había dejado a un lado incluso antes de que lo montaran en un avión en la base militar de Alemania.

—He hecho sopa de verduras, ¿quieres un poco?

—Claro.

La siguió con mucho cuidado por el estrecho pasillo para que los hombros no rozaran todas las fotos que llenaban las paredes. Esa casa, como casi todas las de St. Mary's Cove, se construyó cuando las personas eran más pequeñas y necesitaban menos cosas. Era increíble que sus padres hubiesen criado a siete hijos en ese cubo de dos pisos y que nunca les hubiese parecido necesario mudarse a un sitio más grande. Eso era un ejemplo de la filosofía de «conformarse con lo que tuvieran» que les habían metido en la cabeza como si fuese la sopa de verduras. Aun así, entre los muebles de los años setenta y las alfombras tejidas por su abuela se mezclaban televisiones de pantallas planas, teléfonos móviles y ordenadores portátiles, una mezcla que hacía que esa casita fuese un *collage* muy elocuente de sus vidas. También eran la casa y la vida a las que había vuelto para curarse, la seguridad y estabilidad que representaban le arreglaban la mente mejor que lo que esa crema que se ponía todos los días le arreglaba la piel.

Joe Shaughnessy miró a través de las gafas de montura oscura que tenía colgadas de la nariz aguileña y con los hombros, todavía musculosos, cubiertos por una camisa de cuadros. Sus ojos, como los de su esposa, nunca delataban compasión, y su voz tampoco. Al menos, en ese momento. Sin embargo, sus hermanos le habían contado que cuando su padre se enteró, salió al diminuto jardín que había detrás de la casa y lloró a mares. No obstante, los estrangularía a todos si se enteraba de que se lo habían largado.

Lilianna, que ya estaba sentada en la trona que llevaba años sin salir de la cocina, sorbía la sopa de la cuchara que agarraba con fuerza. Comería sopa por su abuela, pero por él, ni hablar. Se sentó al lado de ella, en la desgastada mesa que había presenciado tantas cosas a lo largo de los años. La luz bañaba la inmaculada habitación y se reflejaba en los armarios tantas veces frotados que el acabado original era un mero recuerdo. Hasta los cambios más recientes, que se hicieron hacía unos diez años, como las encimeras de contrachapado o el suelo de linóleo, habían dejado inalterable esa decadencia tan acogedora.

Sacó la tarjeta de April del bolsillo de la camisa y se la entregó a su padre.

—Tengo un encargo a la vista.

—¿De verdad? —Joe se alejó un poco la tarjeta para verla mejor—. ¿Dónde?

—En casa de los Rinehart.

—¿La ha comprado alguien? —le preguntó su padre mirándolo a los ojos.

—Una de sus nietas ha decidido convertirla en una posada. Sam nos ha puesto en contacto.

Su padre arrugó la frente, le devolvió la tarjeta y mojó un trozo de pan en la sopa que le quedaba en el fondo del cuenco.

—Lo último que supe fue que Amelia Rinehart había dejado que se echara a perder. Me extraña que las chicas no la vaciaran y...

—Celebramos allí el festejo de nuestra boda —le interrumpió su madre dejando un cuenco de sopa y dos rebanadas de pan delante de Patrick—. En su momento de esplendor.

—Por no decir nada del nuestro —añadió su padre entre risas.

—¿De verdad? —preguntó Patrick con el ceño fruncido.

Su madre también se sentó a la mesa y lo golpeó con una servilleta arrugada.

—Mira las fotos de nuestra boda cuando salgas. Eso es Rinehart. Lo era. Fue de la familia del marido de Amelia durante años y lo convirtieron en una posada justo después de la guerra. Fue muy apreciada durante algún tiempo, pero ella dejó de recibir huéspedes cuando él murió. Salvo a sus tres hijas. Todos los veranos...

—¿Puedo levantarme?

La abuela se inclinó para limpiar la boca de su nieta y la bajó de la trona. Cuando oyeron que la niña sacaba los juguetes de las cajas de plástico en la sala, su madre continuó con la conversación.

—La anciana era muy rara, no puede decirse otra cosa. Según los rumores, no se hablaba casi con sus tres hijas, ni siquiera con la que se quedó en St. Mary's. Sin embargo, adoraba a sus nietas, a su manera, claro. Fuiste al colegio con una de ellas, ¿no?

—Sí, con Melanie —contestó Patrick tomando un poco de sopa con la cuchara—. Durante un tiempo, hasta que su madre y ella se marcharon antes de que ella se graduara.

—Efectivamente, se...

—¿Crees que la chica lo dice en serio? —intervino su padre cansado de la charla insustancial.

—¿Por qué no iba a decirlo en serio?

—Porque, probablemente, se arruinará por el camino...

—Me parece que eso no es un problema —replicó Patrick—. Dijo, más o menos, que el dinero no es un obstáculo. En cualquier caso, ¿tienes tiempo a finales de esta semana?

—¿Yo? —preguntó su padre arqueando una ceja—. ¿Para qué me necesitas?

Patrick había aprendido mucho desde que se unió a ellos hacía un año, pero seguía siendo un novato y era la empresa de su padre.

—Me parece que puede ser un encargo considerable. Puedo hacer el proyecto, claro, pero tú eres el especialista en plazos y presupuestos. Además, la gente confía en ti...

—Eso es una majadería y lo sabes.

—¿Qué? ¿Que la gente confía en ti?

—No —contestó su padre mirándolo con los ojos entrecerrados.

—Solo quería mantenerte implicado —replicó Patrick concentrándose en la comida.

—Para eso están los teléfonos móviles...

—Recuerdo que eran unas chicas muy guapas — intervino su madre mientras se levantaba para recoger el cuenco de Lilianna—. Esa que anda por aquí, ¿está bien?

—Por el amor de Dios, Kate —dijo su padre dejando escapar un suspiro muy sonoro.

—¿Qué? Solo estoy charlando. ¡Además, tú eres el que está empeñándose en que el chico lo haga solo!

Patrick tomó otra cucharada y dejó que discutieran. Les agradecía eternamente que lo hubiesen animado a salir de allí y a que encontrara una chica lo suficientemente inteligente como para amarlo por lo que era, por negarse a aceptar que su aspecto físico podía ser un impedimento para conseguirlo. Era una pena que no tuviese la más mínima intención de seguir su consejo. Ya había corrido bastantes riesgos y había sufrido las consecuencias. Para llegar a aceptar que todo había cambiado, tuvo que dejar de pelear con uñas y dientes para demostrarse a sí mismo, y a todos los demás, que nada había cambiado. Entonces, alcanzó una especie de serenidad que empezó a liberarlo del remordimiento y la compasión consigo mismo, de las pesadillas que creyó que lo perseguirían toda la vida.

La primera noche que se despertó después de haber dormido de un tirón, lloró de felicidad. Por eso, se aferraría a esa tranquilidad con todas sus fuerzas. No solo por sí mismo, sino por su hija, quien se merecía un padre con los pies en la realidad, no en lo que debería haber pasado o podría haber sido... Sonó su teléfono móvil. Lo sacó del bolsillo de la camisa y frunció el ceño al no reconocer el número.

—Patrick Shaughnessy...

—Señor Shaughnessy, soy April Ross.

Algo le atenazó las entrañas. Era la voz más sureña que recordaba, tenía algo dulce y humeante que intentaba filtrarse dentro de él. Se levantó de la mesa y salió al pasillo.

—Señora Ross, ¿en qué puedo ayudarle?

—¿Le vendría bien acercarse mañana? He pensado que ya estamos a finales de octubre y que deberíamos empezar lo antes posible, ¿no está de acuerdo?

Lo dijo como si no hubiera salido corriendo como un conejo asustado. Interesante...

—Mañana me parece bien. ¿A las nueve?

—Perfecto. Aquí estaremos. Hasta mañana.

En plural... Volvió a guardarse el teléfono y entró en la abigarrada sala de sus padres, donde Lili estaba sentada delante de la chimenea de ladrillos charlando con una serie de muñecas maltrechas. Ella le sonrió y a él le dio un vuelco el corazón. La amaba. Se había obligado a sonreír otra vez por ella. A reír, a apreciar lo bueno de la vida y a no ser altivo, a intentar ser un buen ejemplo como sus padres lo habían sido para él. Se agachó al lado de ella.

—Tengo que marcharme, cariño, ¿me das un abrazo? —ella se levantó y le rodeó el cuello con los brazos—. Pórtate bien con la abuela, ¿de acuerdo?

Captó el destello de tristeza en los ojos de ella, quien se limitó a asentir con la cabeza.

—De acuerdo.

Patrick se despidió de sus padres y salió al exterior, donde sintió el dolor por el viento gélido en los injertos de la cara, aunque llegó enseguida a la camioneta. La idea de volver a ver a April Ross le atenazaba las entrañas como nada lo había hecho desde hacía mucho tiempo, pero después de todo lo que había pasado... Un poco de libido era la menor de sus preocupaciones. Sobre todo, cuando estaba casada y todo eso... Gracias a Dios.

Capítulo 2

HACE cinco minutos no ibas así vestida.

April miró a su prima Melanie como si quisiera fulminarla, eligió una cápsula de café y la metió en la máquina. La vieja cocina, aunque era inmensa, estaba tan anticuada que podrían haberla declarado monumento histórico. En ese momento, era el sueño de cualquier cocinero. Tenía kilómetros de encimeras y armarios, hornos dobles, una isla central con encimera de acero inoxidable y, la joya de la corona, seis fogones casi industriales. Todo para Mel, quien, una vez que el amor la había devuelto a St. Mary's después de diez años de ausencia, había aceptado aportar sus conocimientos culinarios a la posada, después de que April tuviera que dorarle la píldora insistentemente.

—Tenía frío y me he puesto un jersey más gordo —replicó April.

—También te has cambiado los pantalones y la cinta del pelo...

—Cierra el pico.

—Además, esa es la cuarta taza de café que te bebes esta mañana.

La morena sonrió con su taza de café apoyada en el generoso escote, sus ojos verdes brillando.

—Con tanta cafeína vas a parecer una ardilla que corretea por todos lados. Aunque me gusta ese tono morado que tienes... —añadió Mel.

Blythe, su otra prima, que era interiorista en Washington y que había ido a pasar unos días para comprobar la remodelación, entró bostezando en la cocina. Era alta, rubia e increíblemente sofisticada.

—¿No llevabas otra cosa durante el desayuno? —le preguntó a April con el ceño fruncido.

Melanie le dio un codazo mientras mordía un bollo de canela.

—Me acuerdo vagamente de Patrick Shaughnessy. Merece cualquier desvelo...

April agarró la taza con el café, miró el reflejo del sol en sus anillos y luego miró el reloj, un reloj grande y anticuado que Blythe había encontrado en un anticuario. Quedaban diez minutos. Dejó escapar un suspiro, se apoyó en la encimera y miró a Mel. Era el momento de explicarles un par de cosas que había omitido cuando les contó que iba a pasar por allí para darles un presupuesto aproximado.

—Por lo que dices, entonces era bastante guapo, ¿no? —le preguntó a su prima.

—Sí, en un estilo algo hosco y sombrío. Todos los Shaughnessy lo eran.

—Entonces... no tenía cicatrices en la cara.

—¿Cicatrices? ¿Como si se la hubiera cortado?

—No, peor. No sé... quizá, como si se la hubiese quemado.

—¿Qué? ¿Lo dices en serio? ¿Es... grave?

—Sí. Aunque solo es en una parte de la cara y no me di cuenta al principio, pero cuando lo vi... —April hizo una mueca de disgusto—. Yo... me quedé espantada.

—¿Espantada? ¿Cómo? —le preguntó Mel con el ceño fruncido.

—Salí corriendo como una niña pequeña que creía haber visto un ogro. Además, él lo vio.

—Vaya... —comentó Blythe.

—Efectivamente.

April miró por la ventana que habían agrandado y que daba al embarcadero privado que entraba en el resplandeciente mar. Era su embarcadero, parte de sus posesiones. Por un momento sintió que resplandecía por dentro, hasta que el remordimiento brotó otra vez.

—Tiene la niña más encantadora...

Vio por el rabillo del ojo que Blythe y Mel se intercambiaban una mirada, pero decidió no hacerles caso y siguió.

—Volví para disculparme, pero ya se había marchado. Será lo primero que haga cuando llegue.

—¿Disculparte? —le preguntó Blythe arqueando las cejas—. ¿Crees que es una buena idea?

—¿Tienes otra mejor?

—Sí. Haz como si no hubiese pasado nada.

—Claro...

—Lo digo en serio —insistió la rubia—. Entiendo que te sientas fatal, pero lo más probable es que esté acostumbrado.

—¿Y por eso no importa lo que hice?

—No, pero tampoco querrás que se sienta más incómodo, ¿no?

April, desconcertada, miró a Mel.

—¿Qué harías tú?

—¿Yo? Habría contratado a otro paisajista. Bueno, solo puedes confiar en tu instinto —añadió al ver que April ponía los ojos en blanco—. Haz lo que te parezca mejor.

Llamaron a la puerta. April dejó la taza en la encimera y se secó las manos en los vaqueros.

—Si no me da algo antes.

Fue hasta la puerta, la abrió y se encontró con una mirada cristalina clavada en los ojos.

Él nunca había visto a nadie que se sonrojara tanto. April, además, tragaba saliva como si contuviera una náusea. Sintió lástima por ella y le enseñó la carpeta para recordarle el motivo de su visita. Ella sacudió la cabeza y la melena rubia rojiza le osciló por encima de los hombros. Se sintió inconmensurablemente enojado, aunque no supo por qué. Sin embargo, sí supo que era más hermosa de lo que recordaba. Aunque iba un poco demasiado conjuntada para su gusto. El jersey, las deportivas y la cinta del pelo eran casi del mismo color... Además, también supo que estaba angustiada por lo que había hecho el día anterior incluso antes de que ella hablara.

—Antes que nada... lo que hice el otro día no tiene justificación. Lo siento.

Él se debatió entre tranquilizarla o atormentarla un poco. Se tardaba algún tiempo en acostumbrarse a su cara y ofenderse no tenía sentido. Las personas eran así. Sin embargo, esa en concreto tenía algo que lo provocaba. Quizá fuese que no se creía completamente esa inocencia que intentaba transmitirle. Se metió las manos en los bolsillos, la miró con los ojos entrecerrados y se dio cuenta de que ella no había dejado de mirarle la cara como si quisiera demostrar algo, seguramente, más a sí misma que a él.

—¿Qué hizo?

Ella volvió a tragar saliva y se sonrojó más todavía. Sin embargo, tenía que reconocer su mérito por no haber encomendado la tarea a su marido. Aunque, claro, esa era una de esas actividades en las que la esposa tomaba las decisiones y el marido solo firmaba los cheques.

—Sí... —contestó ella por fin—. En el centro de jardinería...

—No me di cuenta de nada...

—Está fastidiándome.

—No estoy... —empezó a replicar él frunciendo lo que le quedaba de cejas.

—¡Claro que sí! —le interrumpió ella—. Sabe muy bien de lo que estoy hablando. Aunque si va a sentirse mejor, se lo diré con todas las letras. Me porté como una estúpida cuando vi sus cicatrices, pero no sé por qué. No me educaron así y no podría quedarme tranquila si no me disculpara. No tiene ninguna obligación de aceptar mis disculpas, pero yo sí me siento obligada a dárselas. ¿Ya está preparado para empezar?

Patrick se quedó boquiabierto unos cuantos segundos, como un estúpido. Su deseo de disculparse se debía más a la buena educación que a otra cosa, claro, pero hubo una pasión en sus palabras que lo dejaron estupefacto. Eso y su mirada fija, que estaba sacándolo de sus casillas.

—Disculpas aceptadas —consiguió decir él antes de aclararse la garganta—. A lo mejor quiere ponerse un chaquetón o algo así. Hace bastante frío.

Ella asintió con la cabeza y desapareció dentro de

la casa. Volvió al cabo de un minuto acompañada por una mujer alta y rubia que le resultó vagamente conocida.

—Es mi prima, Blythe Broussard —le presentó April envuelta en un abrigo marrón de aspecto caro que le llegaba por debajo de las rodillas—. Está supervisando la remodelación de la casa, pero también tiene algunas ideas para la jardinería.

El marido seguía sin aparecer. Interesante... Quizá no estuviera allí en ese momento. Además, eso era un disparate. Había tenido infinidad de clientes femeninos y nunca se había planteado siquiera con quiénes estaban casadas o con quiénes vivían. Desvió la atención hacia Blythe, quien también aguantó su mirada sin inmutarse. Aunque, al revés que su prima, seguramente estaba prevenida.

—Empecemos —dijo él señalando el embarrado jardín delantero con la carpeta—. Después de ustedes, señoras.

Ese día dejó que Blythe llevara la voz cantante. Entre otras cosas, porque Blythe sabía mucho más de jardinería que ella, pero también porque, aunque había conseguido disculparse, la forma de mirarle de Patrick la había dejado casi muda.

Todavía quedaba por ver si alguna vez recuperaría el habla o no, pensó mientras aparcaba en el aparcamiento del almacén que había en el otro extremo del pueblo. Había pasado una semana desde la cita. Había dado por supuesto que Patrick le mandaría los planos y un presupuesto a la posada, pero la secretaria que la llamó le dijo que él prefería que se pasara por la oficina para explicárselo. Por eso, allí estaba, abrigándose con la chaqueta de *tweed* mientras se dirigía hacia la puerta luchando contra el viento. Por indicación de Clay, había ido olvidándose de su viejo guardarropa y adoptando uno más clásico y elegante que, como él había señalado con delicadeza, reflejaría mejor su nueva categoría social. De ahí la chaqueta y las botas de montar de marca. Sin embargo, al volver a St. Mary's también se había reconciliado con los vaqueros y los jerseys gruesos que tanto le gustaban antes, aunque ya no tenía que comprarlos en tiendas de oportunidades.

Cuando llegó al desgastado mostrador no se encontró a la mujer de mediana edad que la llamó por teléfono, sino a un hombre mayor con gafas de montura negra y con una sudadera azul marino debajo de un chaquetón de lona tan raído como el mostrador. Sin embargo, su sonrisa hizo que se le esfumara el nerviosismo que no se había reconocido a sí misma hasta ese momento.

—La señora Ross, ¿verdad? —preguntó él levantándose y tendiéndole una mano curtida.

—Sí...

—Soy Joe, el padre de Patrick. Está al aparato, pero puede pasar a la sala de reuniones. ¿Quiere un café? —él señaló hacia una cafetera que había encima de un carro metálico—. Está recién hecho, Marion lo hizo antes de que se marchara al banco...

—No... gracias.

—Perfecto. Está al fondo, no puede perderse.

Oyó a Patrick antes de verlo y su risa profunda y sonora hizo que se quedara sin aliento. Que pudiera reírse así hizo que la sangre se le agolpara en las mejillas otra vez. La sala de reuniones consistía en una serie de sillas plegables, de mesas y de una pantalla de televisión muy grande, todo ello rodeado por unos paneles. Patrick, con el móvil pegado a la oreja, estaba sentado en la silla del fondo con una bota de trabajo puesta encima de la mesa que tenía delante y mostrándole el lado «bueno» de la cara. Estaba tan concentrado en la conversación que no la vio. April decidió que la cara estaba muy bien, aunque Mel tenía razón; no podía decirse que fuese exactamente guapo. Tenía unas facciones correctas y sinceras. Decidió que era el rostro de un hombre, que sería más propio de alguien con más de veintimuchos años, que era la edad de Mel. Si él también tenía esa edad, sería un año mayor que ella, más o menos. Entonces, se dio cuenta de que él la había visto, que había puesto una expresión indefinida, que había bajado el pie de la mesa y que estaba levantándose mientras se guardaba el móvil.

—Lo siento. No la había visto.

Los nervios o algo mucho peor le atenazaron las entrañas y sonrió.

—No importa. No quería interrumpir.

—Siéntese —le pidió él mientras le hacía un gesto para que entrara—. No tardaremos mucho.

April se achantó por la frialdad de su voz. Aunque el otro día le había asegurado que había aceptado sus disculpas, su actitud había cambiado en cuanto se había dado cuenta de su presencia. No esperaba caer bien a todo el mundo, pero le espantaba haber hecho algo que le había dolido a otra persona, aunque hubiese sido involuntariamente.

Se sentó en una de las sillas metálicas y pensó que había sido completamente sincera cuando intentó enmendar su torpeza. Efectivamente, no sabía qué podía haberle pasado ni era de su incumbencia, a pesar de esa tendencia tan fastidiosa que tenía de querer resolver todos los problemas que la vida le presentaba en su camino. Hasta Clayton hizo todo lo posible para convencerla de que ella no era la responsable de todo el mundo. Sin embargo, no era fácil olvidarse de las costumbres de toda una vida, pero mantener esa relación en el terreno estrictamente profesional sería un paso importante para conseguirlo. Podía aceptarlo como contratista. Entonces, surgió una imagen en la pantalla y se dio cuenta de que era la imagen de lo que podría ser el jardín delantero de la posada, un jardín con caminos de piedras, arriates con flores, árboles frutales y setos exuberantes, con zonas para sentarse, plantas de hojas perennes a los costados del porche, rosales a lo largo de un murete y muchas más cosas de las que podía asimilar.

—¿De verdad podría quedar así?

—De verdad —contestó Patrick mientras se lo explicaba con un entusiasmo evidente por lo que había hecho—. La idea es que sea un jardín para todas las estaciones, de ahí las plantas de hojas perennes.

Sus miradas se encontraron en la pasión del momento. Ella volvió a desviar la mirada hacia la pantalla y decidió que no podía volver a cometer ese error.

—Sí... Perfecto —dijo ella deseando que el corazón dejara de latirle a esa velocidad.

—Por detrás... —él pulsó unas teclas y apareció el jardín trasero—. Un cenador para celebrar bodas o lo que sea.

—Es increíble —consiguió decir ella casi sin poder respirar.

—No saldrá barato...

El dinero, el trabajo... No podía distraerse.

—No me habría imaginado que lo fuese.

—Aunque le ofrezca el servicio completo, siempre podemos recortar si hace falta —él tomó una carpeta y se la entregó a ella—. Este es el presupuesto desglosado.

April sacó las hojas, las ojeó, llegó a la última página, sintió una fugaz punzada de remordimiento al acordarse de aquellos tiempos cuando ni siquiera podía comprarle flores a su madre y alargó una mano.

—¿Tiene un bolígrafo?

—¿Está segura? —le preguntó Patrick, quien, evidentemente, no se había esperado eso—. Quiero decir, ¿no tiene ninguna pregunta?

—No —ella sacó la chequera del bolso y vio que tenía un bolígrafo dentro—. No se preocupe, tengo un bolígrafo. Supongo que querrá la mitad ahora...

—En realidad, cobramos por tercios...

Ella escribió la cantidad, firmó el contrato y se lo devolvió con el cheque.

—¿Cuándo puede empezar?

Él separó las copias del original, metió el de ella en otra carpeta y la dejó en la mesa.

—¿La semana que viene? Creo que el tiempo va a seguir siendo bueno hasta mediados de mes.

—Perfecto.

April se levantó, tendió la mano y él la estrechó. Otro error, pero el chisporroteo acabaría desapareciendo. Se dirigió hacia la puerta con la carpeta debajo del brazo y con ganas de alejarse de esa mirada intensa y desconcertante.

—No lo entiendo —dijo él.

—¿Cómo dice? —preguntó ella dándose la vuelta con el ceño fruncido.

—No ha regateado.

—¿Debería haberlo hecho?

—La gente... suele hacerlo.

—¿Se refiere a la gente rica? —preguntó ella al haber captado lo que había querido decir.

Le pareció que él se había sonrojado levemente.

—No he dicho eso.

—Pero era lo que quería decir.

—De acuerdo —él se cruzó los brazos—. Según mi experiencia, cuanto más adinerado es el cliente, más intenta rebajar el precio. Sin embargo, usted no lo ha hecho. ¿Por qué?

Su impertinencia, por no decir nada de su suposición de que toda la gente rica pensaba y actuaba igual, debería haberla enfurecido y seguramente la habría enfurecido si su perplejidad no le hubiese parecido sincera. Aparte, no hacía mucho tiempo ella habría sido la primera en etiquetar a los demás. No se ofendió especialmente ni se sintió en la obligación de dar ninguna explicación. Sin embargo, sí le confirmó algo que ya había aprendido, que la gente trataba de forma distinta a los demás cuando creían que tenían dinero... y no siempre de una forma mejor. Por eso, si iban a juzgarla, que fuese por lo que era, no por lo que Patrick creía que era. Quizá no dependiera de ella que se resolvieran todas las injusticias del mundo, pero sí podía hacer frente a esa.

Su madre siempre le había dicho que su bocaza acabaría metiéndole en un lío. A juzgar por la expresión de April, ese momento acababa de llegar. Sin embargo, ella era como... un pequeño sapo que nunca hacía lo que se esperaba que hiciese y eso lo exasperaba.

—Lo siento. Eso no venía a cuento.

Ella se rio y él estuvo a punto de dar un salto.

—No pasa nada. Estoy acostumbrada a tratar con personas que dicen lo primero que se les pasa por la cabeza. Mi suegra era así y nos llevábamos a las mil maravillas. Además, me llevo bien con casi todo el mundo. Me lo tomo como mi misión en la vida. En cualquier caso... —ella agitó una mano y los anillos resplandecieron—... la cuestión es que no siempre he tenido dinero. Por decirlo claramente, lo conseguí por el matrimonio.

—¿Otra... misión?

Ella volvió a reírse antes de mirar los anillos. Sus ojos se habían apagado cuando levantó la mirada otra vez.

—No, en absoluto. Lo que quiero decir es que todo esto es una novedad para mí. Le aseguro que sé lo que es intentar ganarse la vida, que me paguen el salario por un día de trabajo honrado y preguntarme si bastará para poder pagar los gastos —April suspiró—. Puedo decirle el alivio que supone no preocuparme más por el dinero, poder firmar un contrato sin pensármelo dos veces.

—¿Ha recibido otras ofertas? —preguntó él como si creyera que no se lo había pensado ni una vez.

—Me lo he planteado, naturalmente, pero, por ejemplo, usted está muy bien puntuado en páginas de Internet. Además, Blythe, según lo que habló con usted, me dio una cifra aproximada de lo que podría costar y usted ha acertado plenamente. Tampoco me parece justo que otras empresas se tomen tantas molestias cuando solo una puede hacer el trabajo.

—Así es el negocio, señora Ross.

—Sí, pero algunas veces hay que confiar en la intuición. Esta es una de esas veces —ella se rio—. A no ser que haya inflado el presupuesto.

—¡No! —exclamó él antes de sonreír cuando ella volvió a reírse—. Aunque estará bien sacar un buen margen de beneficio, por una vez. Sobre todo cuando se acerca la Navidad. Las bonificaciones de los trabajadores —le explicó él al ver que fruncía el ceño—. El año pasado fueron muy escasas, aunque todos lo entendieron. Al menos, no tuvimos que despedir a nadie, pero estuvimos al borde un tiempo...

¿Qué estaba haciendo? Nunca había hablado de la empresa con un cliente. La expresión de ella se suavizó, se colgó el enorme bolso del hombro y se puso los guantes. Eran de un cuero muy bueno, como las botas y el bolso. Quizá no fuese rica de nacimiento, pero sabía sacarle partido.

—Algo me dice que va a ser un placer trabajar con todos ustedes —comentó ella mirando alrededor antes de mirarlo a él otra vez—. Ya sé que es un poco apremiante, pero... ¿cree que estará terminado el Día de Acción de Gracias? Me encantaría que pudieran venir mis padres. Mi madre no ha vuelto a la casa desde hace unos treinta años.

Sonó el móvil de él, pero como era el tono de su madre o de su hermana Frannie, supuso que podrían esperar cinco minutos.

—Las plantas habrá que plantarlas por fases, a algunas no les gusta que las planten en invierno. Sin embargo, sí se podrá hacer la albañilería. Le prometo que para entonces estará bastante bien.

—¿No habrá más barro? —preguntó ella con una sonrisa.

—No habrá más barro.

La observó alejarse y se sintió dominado por algo muy parecido a la envidia porque a otro hombre le había ido mejor que a él. Algo que no se había permitido sentir desde que salió del hospital militar... y que no iba a permitirse en ese momento.

Entonces, se acordó de comprobar el buzón de voz. Se le revolvió el estómago cuando oyó la voz de Natalie, que le preguntaba si le parecía bien que viera a Lilianna ese fin de semana. ¿Bien? No. Cada vez que su exesposa pasaba por el pueblo e interrumpía la rutina de su hija, le costaba una semana entera volver a encauzarla. A las niñas de cuatro años no les sentaban bien los cambios ni entendían por qué su madre desaparecía siempre. Sin embargo, tampoco podía negarles que estuvieran juntas un rato. Además, ocuparse de eso conseguiría que no pensara en clientas guapas, casadas y fuera de su alcance. Aunque tenía la sensación de que necesitaría algo más que las tretas de su exesposa y el mal humor consiguiente de su hija para olvidarse de April Ross.

—Sí, tienes que marcharte —le había dicho Blythe—. Y no vuelvas hasta que haya terminado tu habitación. Porque vas de un lado a otro y molestas, por eso. Además, ya he llamado a la tía Tilda y le he dicho que vas a ir. Está encantada.

Por eso, tres días después, April estaba mirando por la ventana del piso de sus padres en Richmond. El cielo de noviembre era desolador, como las docenas de pisos exactamente igual que ese. No podía desdeñarlo porque ella les había ayudado a elegirlo, pero nunca había pensado que pasaría tanto tiempo allí... y recordó el motivo mientras oía a su madre trajinar en la cocina, que era abierta, con la radio a todo volumen. Quería muchísimo a sus padres, tanto como para ponerse muy nerviosa cuando su padre enfermó gravemente y su madre tuvo que dejar el trabajo para cuidarlo, tanto como para hacer unos sacrificios por ellos que muy pocas mujeres de su edad habrían hecho. Aunque, al final, no le hubiese parecido que se hubiera sacrificado tanto. Sin embargo, se había olvidado de lo terca que podía ser su madre. Era algo que, probablemente, había heredado de su propia madre.

—Claro, es una invitación —dijo ella tragándose el enojo.

Por lo menos, había conseguido que su madre creyera que estaban remodelando la casa de la abuela para venderla. Efectivamente, no le había contado nada a sus padres de los planes que tenía porque bastante le costaba a ella convencerse de que podía sacarlos adelante como para añadir el inevitable desacuerdo de su madre. No tenía ni idea de por qué había creído que, si lo presentaba como un hecho consumado, la reacción sería mejor. Evidentemente, no lo había sido.

—Sabes que no puedo poner un pie en esa casa —replicó su madre—. Sencillamente, no puedo.

April se apartó de la ventana pensando que, a cierta distancia, su madre, que tenía el pelo rubio y corto y se conservaba delgada, parecía mucho más joven de lo que era.

—Pero ahora es mi casa...

—Sigue contaminada por todos esos recuerdos tan malos, April —su madre cerró los ojos y sacudió la cabeza—. Demasiados malos recuerdos.

April se preguntó cómo de malos podían ser esos recuerdos. Era verdad que su abuela había sido irascible y estricta, que había dado menos libertad a sus tres hijas que la que habían tenido la mayoría de los chicos de su generación y que, por ese motivo, sus tres hijas se habían rebelado y se habían casado con hombres que su abuela censuraba vehementemente. Lo cual, hizo que dejara de tratarse con las tres. Su abuela no había sido cariñosa, desde luego.

Sin embargo, aunque su abuela quizá hubiese sido

una pesadilla, ella no tenía motivos para pensar que había sido una maltratadora. Además, por muy raro que pudiera parecer, no dejó que sus diferencias con sus hijas enturbiaran su relación con sus nietas. Al menos, mientras eran pequeñas. Aquellos veranos con Blythe y Mel en la casa de la playa, veranos en los que podía olvidarse de su caótica vida hogareña durante siete u ocho semanas, habían sido los momentos cumbre de su infancia.

—Sé que la abuela y tú tuvisteis diferencias —dijo April con delicadeza—, pero ella y yo, no...

—¿Por qué, April? ¿Por qué? —su madre gritó la última pregunta como si estuvieran estrangulándola—. Aunque esa casa no fuese un pozo sin fondo, que sabes que lo es, que hayas hecho eso sin decírnoslo, que hayas tirado todo lo que te dejó Clayton... No lo entiendo, April. Podrías haberte comprado cualquier casa que hubieses querido...

—Porque no quiero cualquier casa, quiero esa casa. Me encanta Rinehart, mamá —añadió ella cuando su madre arrugó los labios—. Siempre me ha encantado y ahora, increíblemente, es toda mía. Mi pozo sin fondo.

Aunque lo que se había gastado hasta el momento en la casa no había mermado casi nada su herencia. Naturalmente, sabía que si la posada no empezaba a ser rentable en un plazo prudencial, no podría mantenerla abierta, pero no era el momento de preocuparse por eso.

—Además, no la reconocerías después de todo lo que ha hecho Blythe —siguió April—. Sobre todo, cuando acaben con la jardinería.

Algo que, desgraciadamente, no sucedería antes de que ella volviera. Era una pena porque ya que había conseguido poner cierta distancia entre ella y la mirada letal de Patrick Shaughnessy y que podía ver las cosas con algo de objetividad, tenía que reconocer dos cosas. Una era que ese hombre la atraía mucho, algo que, dada su situación y la mencionada mirada, no era tan raro. Sin embargo, la segunda era que el momento no podía ser peor.

—No —insistió su madre sacudiendo la cabeza y sacando a April de su ensimismamiento—. Cuando tu abuela me expulsó, juré que no volvería jamás y siempre cumplo lo que juro.

Otra vez esa terquedad. Como que nunca hubiese dejado de respaldar a su padre independientemente de las veces que había tenido una idea brillante que los haría ricos y que siempre salía mal después de haberse llevado por delante los ahorros que tuvieran. Era un hombre bueno y amable, pero con la vista para los negocios de un topo. Por eso, que su madre siguiera insistiendo en que ella tiraba el dinero, era un poco incoherente. Dicho eso, sus padres al menos seguían juntos. Efectivamente, la obstinación de su madre en no volver nunca a la casa de la abuela era desquiciante, pero era una mujer que se mantenía fiel a sus convicciones... y a su marido, independientemente de lo que pudiera pasar. Como había dicho, cumplía sus juramentos. Ella, también.

Su madre llevó una fuente con sándwiches a la mesa de la cocina y llamó a su marido antes de dejarla.

—Además, ¿puede saberse por qué se te ha metido en la cabeza la idea de ser posadera?

—Supongo que porque me gusta ocuparme de la gente, sentirme útil.

Su madre cruzó los brazos y su expresión de censura dejó paso a la de preocupación. Un cambio inesperado que pilló desprevenida a April.

—Creía que ya lo habías hecho y que habías tenido bastante...

—¿Por qué? —April arrugó la frente—. Ah... ¿Te refieres a Clay?

—Efectivamente. Porque... —su madre miró hacia el pasillo y bajó la voz—. Porque después de haber cuidado a tu padre durante aquellos meses, sé muy bien cuánto tuvo que costarte.

—Pero esto no se parece nada y...

—Además, que perdieras tan pronto a tu marido... —siguió su madre dispuesta a mantener su línea argumental—. Sobre todo, cuando...

Sobre todo, cuando Clayton y ella no habían tenido hijos. Sin embargo, su madre desconocía los detalles y, probablemente, no los conocería nunca porque ya no venía a cuento. Si los hubiese sabido, le habría dado un ataque. Además, para ser una persona que se consideraba sincera, tenía más secretos que un confesor.

—Lo que hizo Clayton por nosotros... —su madre se aclaró la garganta—. Todavía se lo agradezco todos los días en mis plegarias. También agradezco a Dios que pasara por nuestras vidas aunque fuese tan poco tiempo. Era el hombre más generoso de la tierra.

—Sí, lo era...

—Entonces, cariño, después de todo lo que has pasado, ¿no crees que a él le gustaría que te tomaras las cosas con calma y que disfrutaras de la vida?

April se rio y fue a la cocina a por una jarra de té.

—Solo tengo veintiséis años, mamá. No sé cómo voy a disfrutar de la vida si no la vivo. Si no... —April estuvo a punto de volcar la jarra de té—. Si no aprovecho las ocasiones inesperadas.

Su madre rescató la jarra de té y la estrechó contra el pecho mientras miraba fijamente a su hija.

—¿Llevando una posada?

—Llevando a cabo mi sueño de tener mi propio negocio, de hacer lo que me gusta. Eso es lo que Clayton habría querido que hiciese... y es la mejor manera que se me ocurre de honrarlo —añadió ella antes de que su madre pudiera insistir.

Aunque no sirvió de nada.

—Pero no tiene sentido...

Su madre cerró la boca cuando su marido salió por fin del dormitorio, donde había estado viendo la televisión, y se sentó en su silla dejando escapar un gruñido de satisfacción al ver los sándwiches. Edward Ross, aunque más delgado que antes, estaba muy en forma para haber estado al borde de la muerte hacía tres años, aunque sus días como empresario ya formaban parte del pasado, afortunadamente. Sin embargo, lo que hacía que se le saltaran las lágrimas era que sus padres tendrían todas las necesidades cubiertas gracias a Clayton y que, a cambio de posponer sus sueños durante unos años, él le había dado la posibilidad de llevarlos a cabo por mucho miedo que le diera.

—Precisamente tú, deberías saber que lo que nos hace felices no siempre tiene sentido —replicó ella con delicadeza.

Su madre tardó un momento en reaccionar.

—Entonces, eres tan necia como todos nosotros.

Su madre fue a la mesa para servirle el té a su marido y cuando April abrió la boca para rebatirla, se encontró con una mirada azul y letal que le impedía decir las palabras. Letal y, salvo que estuviese lamentablemente equivocada, necesitada. Efectivamente, lo que había dicho su madre.

Capítulo 3

PATRICK vio que Lilianna arrugaba la cara y pensó que era demasiado pronto para ponerse así. La mañana había transcurrido bien hasta el momento. No se había quejado por lo que le había elegido para vestir ni por los huevos revueltos que le había puesto delante mientras veía Barrio Sésamo en el pequeño y disparatado último piso de una también disparatada casa de postas reformada que estaba cerca de la casa de sus padres. Hasta que ella pidió un hojaldre con mermelada de arándanos precocinado y todo se torció porque, en su prisa por llevarla a casa de su madre antes de que la cuadrilla se preguntara dónde estaba, dejó caer un chorro de azúcar glaseado en su plato de plástico con un dibujo de Campanilla.

—Cariño, no pasa nada —intentó tranquilizarla cuando empezó a llorar—. Recógelo con el dedo y cómetelo.

—No... no puedo... —replicó ella con los diminutos brazos cruzados—. Lo has... estropeado...

Patrick suspiró porque sabía que su desconsuelo no tenía nada que ver con su torpeza y mucho con la fugaz visita de su madre del día anterior. Cuatro horas después de que su madre se marchara, Lili se aferró a él con el pulgar en la boca y llorando desconsoladamente. Para ser justos, sabía que Nat se sentía muy mal por el acuerdo, pero el equipo de apoyo y el trabajo de Patrick estaban en St. Mary's y el colegio de Nat en Philly. Los dos habían estado de acuerdo en que Lili necesitaba más la estabilidad que a su desorientada madre. Sin embargo, ¿cómo se lo explicabas a una niña?

No obstante, aunque no soportaba ver a Lili tan desdichada, su propia madre le daría una bofetada si consentía la rabieta. Se agachó al lado de ella.

—Me da igual que te lo comas o no, pero, algunas veces, las cosas no salen como queremos —le dio un beso en la frente y volvió a levantarse para llenar el termo de café—. Lo único que podemos hacer es aguantarnos.

No sabía si una niña de cuatro años podía entender eso o no, sobre todo cuando todavía andaba con pies de plomo en eso de ser padre. No la había visto casi hasta que tuvo tres años y, aun entonces, él tampoco estuvo mucho tiempo cerca, todavía estaba metido en una vorágine que parecía interminable de fisioterapia y tratamientos. Además, cuando estaba con ella, todavía sentía una frustración y un remordimiento abrumadores por no poder ser el padre siempre a mano que se había imaginado... por no decir nada del marido.

Se pasó la mano por el pelo cortado casi al cero. Como las quemaduras le habían abrasado la mitad del cuero cabelludo, no tenía sentido dejarse crecer el pelo que todavía podía salirle. No le extrañaba que Natalie lo hubiera abandonado ni que él lo hubiera aceptado y firmado los papeles del divorcio. Efectivamente, podía seguir diciéndose que nadie elige lo que le depara la vida, pero la verdad era que algunas personas sabían sobrellevar los reveses mejor que otras. Eso también era la vida. Por eso, si bien le había dolido que Natalie no hubiese sido capaz de sobrellevarlos, no le había sorprendido...

—Ya.

Patrick se dio la vuelta con el termo en la mano y vio a su hija sonriente que le enseñaba el plato vacío con las mejillas manchadas de azúcar glaseado y mermelada de arándanos. Se le derritió el corazón y se rio.

—Me parece que tenías hambre, ¿no?

—Sí —contestó Lili entre risas.

Él la limpió con una toallita de papel, metió el plato en el lavavajillas y la levantó de la silla más decidido que nunca a que nadie le hiciera nada a su hija.

A pesar de todos los esfuerzos, llegó después que la cuadrilla. Se alegró de haber repasado los planos con ellos porque ya habían empezado a arrancar árboles y arbustos muertos y a preparar el terreno para hacer los senderos que Blythe y él habían proyectado. Hablando del rey de Roma... la prima de April, con vaqueros y una cosa amplia con pliegues que hacía que pareciera una polilla enorme y rubia, cruzó el jardín embarrado y se acercó a su camioneta mientras se bajaba.

—Siento haberme retrasado —se disculpó él mientras agarraba el termo de café.

—No te preocupes, Patrick, tus hombres saben lo que tienen que hacer.

—¿Está April por aquí?

—No, ha ido a pasar unos días en casa de sus padres. Volverá a finales de semana.

La visita de Natalie y sus repercusiones habían relegado a April a un rincón recóndito de su cabeza, pero cuando volvió a montarse en la camioneta después de dejar a Lili en casa de su madre, fue como si se hubiese abierto una compuerta. Solo pudo pensar en April y en que no debería pensar en una mujer casada. Hacía mucho tiempo que no se confesaba, pero tenía que reconocerse que la penitencia habría sido muy severa.

Por eso, llegó a su casa con una mezcla de nerviosismo y emoción, con ganas de verla, de oír su voz, de ver su sonrisa. Esa luz que tenía en los ojos y que lo atravesaba le daba esperanza, ya que no se le ocurría una palabra mejor. Sin embargo, no estaba allí y a su cerebro estaba costándole asimilarlo. Quizá por eso dijo lo que dijo.

—¿Su marido ha ido con ella? —le preguntó a Blythe.

—¿Su marido? —preguntó la rubia con el ceño fruncido.

—Bueno, no lo he visto nunca, pero... —él se señaló el dedo anular—. Los anillos...

—¡Ah! —Blythe apretó los labios como si no supiese bien qué decir—. Se me olvida que hay gente que no lo sabe. El marido de April falleció unos meses antes de que ella volviera a St. Mary's.

—¿Qué...?

—Sí, es viuda, Patrick.

Si había creído que estaba costándole asimilar las cosas...

—Pero sigue llevando los anillos.

—Sí, efectivamente.

Blythe le apretó ligeramente un hombro y se alejó. El cerebro de Patrick por fin arrancó un poco y le recordó que, si había algo peor que fantasear con una mujer casada, era fantasear con una que todavía lloraba la muerte de su marido. No había penitencia lo bastante severa para eso.

A finales de semana, cuando Blythe ya le había dado el beneplácito, April sintió una emoción pequeña pero intensa mientras tomaba el camino a St. Mary's. Volvía a casa. Nunca se había dado cuenta de que ese pueblo diminuto le había parecido siempre su casa, incluso de niña. Sobre todo de niña, cuando la visita a la casa de su abuela en verano era lo único constante en una vida que siempre estaba empezando una y otra vez. Ya no tendría que volver a marcharse, se dijo a sí misma mientras su Lexus ronroneaba por la calle principal. Salvo que quisiera marcharse, claro. Además, ya no iba a volver a empezar. Por muy emocionante que hubiese sido ver la resurrección de la casa, estaba deseando que estuviese terminada para poder seguir viviendo, en vez de esperando. Era como si su vida hasta ese momento hubiese sido una serie de esclusas y por fin hubiese salido de la última para entrar en mar abierto.

Unos minutos después, entrecerró un poco los ojos cuando vio la casa, a la luz del atardecer, y una camioneta de «Shaughnessy e hijos» aparcada como un oso negro sesteando. Sintió una punzada en las entrañas, como si no supiera si alegrarse o no. Aunque no tenía nada contra las tradiciones familiares, algunas, como ser una necia redomada, no deberían mantenerse. La sensatez le repetía constantemente todos los motivos por los que fantasear con cierto jardinero de aspecto peligroso era la peor de las malas ideas. Sin embargo, otra vocecilla no paraba de susurrarle que se olvidara de la sensatez, que fuera a por él, que no tenía nada que perder.

Espantó los susurros como si fuesen mosquitos en una noche de verano, se bajó del coche... y se quedó boquiabierta. ¿Era el mismo jardín que dejó unos días antes?

Un camino de entrada nuevo rodeaba lo que sería un jardín con una fuente en el centro que era elegante, caprichosa y vanguardista a la vez. Muchos ángeles, muchas curvas... ¿De cobre? El porche estaba flanqueado por plantas de hojas perennes que daban paso a todo tipo de arbustos y cosas que no podía identificar siquiera. Naturalmente, no estaba terminado, podía ver zonas de tierra donde se plantarían más plantas y senderos de piedra esbozados entre los arriates de flores, pero lo que estaba hecho era increíble.

—¿Qué te parece?

La voz de Patrick hizo que casi se derritiera. Se dio la vuelta preguntándose qué tenía esa luz que convertía lo peligroso en delicioso. Ni siquiera veía las cicatrices... Bueno, sí las veía, pero también veía más allá. Mejor dicho, sentía su presencia, su aura o lo que irradiaba, fuera lo que fuese, que era como una hoguera que amenazaba con abrasarla. Eso era peor que malo, ¿no?

—Me encanta —consiguió contestar ella dándole vueltas a los anillos y apartando la mirada de su boca—. Habéis avanzado mucho en muy poco tiempo...

—Se prevé mal tiempo para el fin de semana. Quería adelantarme.

Mmm... Volvió a mirarlo. Era amable, pero no sonreía ni sus ojos resplandecían. ¿Era ella la única que estaba sufriendo un ataque de los demonios de la lujuria? Pequeñas bestezuelas... Sin embargo, a juzgar por lo mucho que le costaba respirar, quizá no fuesen tan pequeñas...

—Papá, ¿dónde estás?

—Aquí, cariño.

Un minuto después, se oyeron unos pasitos en el porche y bajaron los escalones. Los rizos subían y bajaban como una cacofonía visual de rayas y flores y media docena de colores se arrojaron en brazos de su padre. Los demonios salieron volando por los cuatro vientos. Aunque el fuego... no tanto. Sí, el calor había ascendido al pecho y a la base del cuello, pero verlo abrazar a su hija la abrasaba tanto como lo que le inspiró esos pensamientos tan inconvenientes. Entonces, Patrick la miró por encima de la cabeza de su hija, no con miedo, pero sí con cautela. No podía tomárselo como un desafío.

Mel salió corriendo, con el pelo alborotado, la cremallera de la sudadera bajada y con unos vaqueros que ceñían unas curvas que ella solo podía envidiar. Resopló cuando vio a Lilianna en brazos de su padre.

—Eres una granuja —le riñó su prima con poco convencimiento entre las risas de Lili y el asombro de April—. ¡Te has escapado! ¡Se me había olvidado lo escurridizas que pueden ser las niñas! ¡April! —Mel sonrió de oreja a oreja—. ¡Has vuelto! ¡Qué bien! La cena está casi preparada.

—Entonces, será mejor que nos marchemos —dijo Patrick mientras April estaba cada vez más atónita.

—Ni hablar. He hecho comida para medio pueblo. Nada de discusiones. Además, estoy segura de que Lili querrá probar la tarta que me ha ayudado a hacer. ¿Verdad, cariño?

La niña asintió vigorosamente con la cabeza y con los ojos muy abiertos y enternecedores.

A April se le cayó la baba. Ya sabía que los niños tenían la capacidad de hacer que se te cayera la baba, pero esa niña...

—¿Cómo vas a poder negarte? —le preguntó Mel a Patrick.

El hombre grande y curtido que sostenía a la diminuta niña entre sus fornidos brazos dijo que claro que se quedarían, pero dando a entender que lo hacía para no discutir. Algo que su prima no captó o prefirió pasar por alto. April habría apostado por lo último.

—He experimentado —siguió Mel—. Todavía tengo que acostumbrarme a los fuegos. Ryder llegará en cualquier momento... —su prima se puso un poco melosa al hablar de su prometido—. Ha ido a recoger a Quinn a la clase de piano. Bueno, no os quedéis ahí, pasad adentro.

Todo el mundo cruzó el recibidor en tropel y pasó a la nueva e impresionante sala.

—Blythe dijo que sentía no poder estar —continuó Mel sin hacer caso del poco entusiasmo de Patrick—, pero tenía una cita de urgencia en Washington. Sin embargo, dijo que si querías cambiar algo de tu habitación, que se lo comentaras —Mel sonrió a Lilianna—. ¿Quieres ayudarme a poner la mesa?

—¡Claro!

La niña se bajó de los brazos de su padre para seguir a Mel, mientras Patrick la miraba con preocupación, como si hubiese desaparecido por una puerta que la llevaba a otro universo. Eso también era enternecedor, aunque cuando la pubertad se acercara, no sabía a quién compadecería más, si a Lili o a Patrick.

April miró hacia otro lado, sintió la calidez de la

casa y el olor que llegaba de la cocina hizo que los ojos se le empañaran de lágrimas. También se habían hecho muchas cosas en el interior. Blythe obraba milagros. Estaba deseando colgar las fotos en la página web de Rinehart, aunque era una pena que los posibles clientes no pudieran oler ese aroma también. Las lágrimas amenazaron con derramarse. Si no hubiese sido por Clayton...

—¿Te pasa algo?

No estaba sola. April negó con la cabeza y se aclaró la garganta en un intento de no hacer caso a las bestezuelas que volvían de puntillas. Bestezuelas que no se daban cuenta de que ese hombre no quería estar allí.

—Si hace cuatro años me hubiesen dicho que estaría a punto de abrir mi negocio, de que este sitio sería mío... —April suspiró mientras miraba todo lo que la rodeaba—. No podemos predecir lo que la vida nos tiene preparados, ¿verdad?

Se hizo un silencio.

—No, claro que no —acabó contestando él.

—Lo siento —se disculpó April al darse cuenta de su metedura de pata—. No quería decir...

—Ya lo sé. No pasa nada.

Ella se aventuró a mirarlo y se sonrojó en sitios donde normalmente no se sonrojaba, una sensación agradable y desasosegante a la vez.

—Tú tampoco estás obligado a quedarte.

Patrick se metió las manos en los bolsillos sin darse cuenta de lo que eso hacía en la parte delantera de los vaqueros.

—Hay una niña en la cocina que podría no estar de acuerdo. Por no decir nada de tu prima. Además, sea lo que sea lo que está haciendo tu prima, estará mejor que una hamburguesa con queso empaquetada.

¡Vaya...! ¿Estaban manteniendo una conversación de verdad?

—Eso es penoso...

—Es una de las pocas cosas que Lili come.

—¿Y las otras...?

—Hojaldre relleno de mermelada precocinado, brécol y un huevo de vez en cuando. Y la sopa de verduras de mi madre, claro.

April se rio. Las bestezuelas se quedaron perplejas, casi tanto como ella misma.

—Tienes una hija muy rara.

—A mí me lo vas a decir —replicó él inexpresivamente, pero no por eso menos sexy—. Por cierto, no la he traído todos los días, pero mi madre y mi hermana estaban lidiando con no sé qué bichitos. Tu prima estaba aquí y... —él frunció el ceño—. Se hizo cargo.

—Así es Mel. Eso no quiere decir que yo no hubiese hecho lo mismo —ella se encogió de hombros—. Lili es un encanto. Puedes traerla cuando quieras.

Él asintió con la cabeza y le dio las gracias como si hubiese caído en la cuenta de repente. Ella se aclaró la garganta.

—Entonces, ¿la madre de Lili...?

—Estamos divorciados.

Había preguntas que se moría de ganas de hacer. Por ejemplo, cuántos años tenía cuando se casaron, por qué parecía tener la custodia plena de su hija, si Lili veía alguna vez a su madre... El tipo de cosas por las que las chicas listas pasaban por encima de puntillas.

Patrick intentó comportarse de una forma normal durante la cena, aunque le corroía por dentro no haber aprovechado la pregunta de April para preguntarle a ella por su marido, para darle la oportunidad de dejar las cosas claras. Sin embargo, no lo había hecho y lo mejor era olvidarse del asunto. Al fin y al cabo, ¿qué importaba eso en el conjunto de la situación?

Aun así, estaba deseando marcharse de allí. Quería llevarse a su hija a su pequeño apartamento, donde todo era predecible y seguro, donde no podría oír la risa de April ni ver esos malditos anillos resplandecer a la luz de las velas. Desde que se enteró de que era viuda, había redoblado sus esfuerzos para poner punto final a sus pensamientos. Algo que no debería resultarle tan difícil como parecía costarle porque estaba muy acostumbrado a dominar sus pensamientos. Si no fuera así, probablemente ya estaría muerto. Además, como era tonto, había creído que podría conseguirlo centrándose en Lili, en el trabajo, en hacer ejercicio y en Lili otra vez para que no cupiera nada más. Hasta que April volvió y él entendió las sombras que veía en sus ojos, que no mejoraban las cosas. Darse cuenta de que tenía que amar a Lili por dos padres, cuando ni siquiera estaba seguro de que supiera amarla por uno, también había sido como si eso zarandeara su benevolencia más elemental. No podía amar a Lili como se merecía que la amara si no sentía empatía por las demás personas, independientemente de lo mucho que quisiera aislarse.

—¡La tarta!

Mel entró detrás de Lili, quien portaba la tarta de tres capas con una sonrisa de oreja a oreja. April lo miró a los ojos el tiempo suficiente para que él captara algo más en su mirada. Por no decir nada del rubor que le subió por el cuello. ¿Cómo era posible que no se hubiese dado cuenta? Había sido fugaz, pero si no se equivocaba, se sentía atraída por él... y muy abochornada. Debería haberle parecido gratificante, si no halagador, al menos, muy divertido. Como, evidentemente, ella estaba canalizando su dolor en... otras direcciones, él no iba a permitir que ninguno de los dos llegara allí. Ya se arrepentía de un montón de cosas. Además, ella lo superaría. Sobre todo, cuando hubiese abierto la posada y se hubiera dado a conocer la cocina de su prima. Había probado un trozo de tarta y tenía que reconocer que estaba increíblemente buena aunque el chocolate no le gustase especialmente. April estaría demasiado ocupada para pensar... en lo que estuviese pensando.

Aun así, mucho después, después de que Lili y él hubiesen vuelto a casa y de que hubiese tenido que leerle tres veces el mismo cuento para que se durmiera, después de que hubiese salido a la escalera que descendía por el costado del edificio de ladrillos porque hacía un calor impropio de la época del año, sintió que esa oscuridad interior que nunca lo había abandonado se transformaba en algo que se parecía muchísimo a la ternura, algo que nunca serviría de nada.

La madre de April siempre había sido de las que veían el vaso medio lleno. Siempre decía que se fijara en lo bueno o que todo podía ser peor. Aunque hubo momentos en los que comían sándwiches de queso y sopa de tomate cinco noches a la semana. Cuando vio el recibo de la casa de empeños, donde había empeñado el anillo de compromiso otra vez, quiso zarandearla y gritarle qué podía ser peor. Sin embargo, nunca lo hizo, en parte porque sabía que su madre hacía lo que podía y en parte porque la verdad era que no habían pasado hambre. Habían estado muy cerca más veces de las que quería recordar, pero siempre había habido algo que comer en la mesa y siempre habían salido, de una manera u otra, del agujero en el que les había metido su padre. Incluso salieron a comer alguna vez a alguna taberna del pueblo. Además, su madre acabó recuperando el anillo para siempre.

Por eso, aunque de niña solía pensar que ese optimismo era una majadería fastidiosa, había terminado arraigándose en su forma de ser. Quizá fuese porque siempre habían salido del atolladero o porque, a pesar de todo, sus padres nunca habían dejado de amarse, eso no lo sabía. Pero, en ese momento, cuando dejó de mirar el ordenador y miró por la ventana del despacho para observar a Patrick, que estaba de rodillas aplastando la tierra alrededor de un arbusto mientras bromeaba con Duane, un hombre de su cuadrilla, volvió a acordarse de que tenía que fijarse en las cosas buenas que tenía.

El día anterior, por ejemplo, le había oído preguntar por la madre de alguien, quien, al parecer, estaba recuperándose de una operación de vesícula, y el día anterior a ese había visto que le daba un paquete pequeño a otro hombre por el cumpleaños de su hijo. Había presenciado cómo escuchaba a su cuadrilla y el respeto que le tenían, un respeto sincero, no una actitud respetuosa por sus heridas. Era el primero en llegar y él último en marcharse después de haberle informado a ella y de haberle preguntado si tenía alguna duda o quería cambiar algo. Estaba más que agradecida por eso. Profesionalmente, estaba plenamente satisfecha con él y estaría encantada de contar las alabanzas de «Shaughnessy e hijos» a cualquiera que se lo preguntara. Era un hombre íntegro y que se preocupaba por los demás.

Sin embargo, ya no la miraba a los ojos cuando iba a informarle ni le daba la más mínima oportunidad de hablar de otra cosa que no fuese la gravilla, las losas o las plantas. Bueno, le decía que Lili estaba bien cuando se lo preguntaba y le contaba alguna anécdota, era un padre orgulloso al fin y al cabo, pero aparte de eso, nada.

Cerró de golpe la tapa del ordenador portátil, se puso la chaqueta y pensó que, francamente, su obstinada reticencia estaba sacándola de quicio. Recogió el cheque que había firmado antes, salió al porche y sintió el repentino frío. Los días anteriores habían sido inusitadamente cálidos, pero en cuanto bajaba el sol, la temperatura hacía lo mismo. Patrick, que estaba en su camioneta, la vio, hizo un gesto con la cabeza y cerró la portezuela trasera. Se le marcaron los músculos debajo de la camiseta de manga larga, pero se puso el chaquetón de lona y se dirigió hacia ella pasándose la carpeta de mano en mano. Sus andares no eran especialmente elegantes, pero era un paso firme, el paso de un hombre que sabía lo que hacía... o que, al menos, quería que el mundo lo creyera.

Antes de llegar a los escalones, vio que April sostenía algo. Parecía un cheque.

—Tu siguiente pago —le comunicó ella en un tono tan frío como el viento que soplaba.

Él lo miró con el ceño fruncido.

—Hasta mañana no...

—Lo sé —le interrumpió ella—, pero así podrás ingresarlo a primera hora de la mañana. Toma.

Él lo tomó sin dejar de mirarlo, esbozó media sonrisa con el lado de la cara que no tenía cicatrices y lo guardó en la carpeta. Aunque el banco no abriría hasta que él ya llevara una hora allí...

—Gracias —él miró alrededor—. ¿Todo sigue pareciéndote bien?

—¿Tu trabajo? No podría parecerme mejor. ¿Tú? No tanto.

Él no se dio la vuelta. En parte porque el tono de enfado lo había pillado desprevenido y en parte porque estaba casi seguro de que lo que iba a decir después, fuera lo que fuese, no iba a gustarle. Se había olvidado de que a las mujeres les gustaba que se dijeran las cosas con todas las palabras, aunque no hubiese suficientes palabras para hacerlo. Él, sin embargo, había acabado haciéndolo: no la había mirado directamente. Había esperado que ella no se diese cuenta o que, si se daba cuenta, no le importase. Al parecer, se había equivocado.

—Creo que no lo entiendo —replicó él sin mentir del todo.

Ella se cruzó de brazos y lo miró con una mezcla extraña, y excitante, de dolor y furia.

—¿Te he hecho algo para que estés enfadado?

—¿Quieres tener esta conversación, en el caso de que haya algo de lo que hablar? —preguntó él sorprendiéndose a sí mismo.

Evidentemente, intentar no hacer caso a esa... a esa vibración que brotaba entre ellos, no había dado resultado, para ninguno de los dos. Entonces, pensó que, algunas veces, para hacer lo que había que hacer había que ser el al malo de la película. Fuera lo que fuese lo que estaba dando vueltas debajo de ese pelo del color del atardecer, había que detenerlo en ese instante. Subió los escalones y a ella casi se le salieron los ojos de las órbitas cuando le agarró la mano izquierda y la sacudió para que las piedras preciosas resplandecieran aunque la luz fuese tan tenue.

—¿Por qué sigues llevando eso?

—¿Qué? —exclamó ella, que se había quedado paralizada.

—Blythe me dijo que eres viuda.

April, boquiabierta, se soltó la mano y se la llevó al pecho.

—No quería mantenerlo en secreto...

—Entonces, ¿por qué...?

—¡Por el amor de Dios, Patrick! ¡Muchas viudas siguen llevando los anillos! ¿Qué tiene de malo?

—Por ejemplo, que la gente puede dar por supuesto que sigues casada o que, al menos, sigues sintiéndote casada. Lo cual, se contradice radicalmente con los mensajes que transmites.

—¿Mensajes...? —preguntó ella roja como un tomate.

—Sí, mensajes. Concretamente, mensajes tentadores.

—Yo no... —empezó a decir ella parpadeando.

—¡No, nada! No esperarás que me crea que no sabías cómo me mirabas, que no me daría cuenta.

Él se acercó más para abrumarla con su estatura e intentó hacer caso omiso del deseo que se le despertó cuando pudo oler su perfume. Además, ese pelo lo volvía loco, casi tan loco como esa remilgada cinta azul que se lo apartaba de la cara.

Ella pareció recomponerse. Se metió las manos en los bolsillos y lo miró directamente a los ojos. Aunque la voz le tembló levemente.

—Iba a decirte que no sigo sintiéndome casada. No es de tu incumbencia, pero...

—¿Pero...?

—Los anillos... Nunca había tenido nada tan bonito en mi vida. Quizá no quisiera meterlos en una caja fuerte y no volver a verlos. Además, ¿acaso crees que no me he dado cuenta de que tú me mirabas exactamente igual aunque creyeras que estaba casada?

—De acuerdo —tuvo que reconocer él—. Me di cuenta de que estás muy bien y es posible que haya perdido práctica en disimular lo que pienso, pero eso era todo. Pensamientos. Eso no significa que pensara llevarlos a cabo.

Su delicada boquita esbozó una leve sonrisa.

—¿Antes o después de que te enteraras de que no tengo pareja?

—Antes y después. Además, maldita sea, estás haciéndolo otra vez, ¿verdad?

—Sin querer... —contestó ella sonrojándose de nuevo.

—April, estás fijándote en el hombre equivocado.

—¡No estaba... fijándome! Solo estaba... mirando...

—Pues no lo hagas. No soy recomendable. Además, no necesito que una chica sienta lástima de mí, que se pregunte lo que sentirá al seducir al bicho raro.

Se hizo un silencio sepulcral. Hasta que April abrió la boca, volvió a cerrarla y la abrió otra vez.

—¿Piensas eso sinceramente?

—Sí.

—Entonces, eres un idiota.

April se dio media vuelta, entró en la casa y cerró la puerta dando un portazo. Asombrosamente, Patrick no se sintió tan bien como había esperado, ni mucho menos.

—¡Terminado! —exclamó Blythe con los brazos estirados.

Luego, dio unos saltitos con las botas de tacón de aguja y April se rio aunque seguía sintiéndose abatida varios días después de haberle dicho a Patrick que era un idiota. Lo era, pero ella se sentía mal. Blythe, un poco jadeante, le pasó un brazo por encima de los hombros y miró la sala recién terminada.

—¿Estás preparada, cariño?

April se cruzó los brazos por encima del jersey de cuello alto y sonrió a pesar de la inquietud.

—Completamente preparada.

—Entonces, vamos a secuestrar a Mel y vamos a comer en Emerson's para celebrarlo.

—De acuerdo.

Su prima se marchó para recoger sus cosas del despacho y April se quedó para asimilarlo todo. Unos minutos antes habían terminado de repasar el piso superior, los cinco dormitorios decorados con una mezcla de antigüedades, objetos recuperados de la colección de su abuela y todo tipo de cosas compradas en mercadillos. Aun así, no podía quitarse la sensación de que en cualquier momento se caería de la cama y se daría cuenta de que todo había sido un sueño. Sin embargo, no lo era. Más aún, esa misma mañana se había quedado estupefacta al comprobar en la página web que ya tenía varias solicitudes de reservas para la festividad y para las vacaciones. Además, tenía que contratar más personal, encontrar un servicio de lavandería, abrir cuentas con distintos proveedores... Estaba sucediendo de verdad y era muy injusto que estuviera sucediendo con Patrick flotando sobre ella como una nube tóxica. Él y su cuadrilla también habían terminado el día anterior, a falta de lo que hubiera que plantar en primavera. También le había pagado el mantenimiento mensual durante un año, y como no creía que él fuese a aparecer en mayo para podarle los setos, suponía que, en teoría, nunca tendría que volver a pensar en él ni volver a verlo. ¿En un pueblo del tamaño de un cacahuete...?

—Le he mandado un mensaje a Mel —comentó Blythe mientras salía de la cocina poniéndose una elegante bufanda de cachemira—. Se reunirá con nosotras allí.

—Perfecto.

Noviembre había vuelto con toda su crudeza y las dos mujeres se metieron corriendo en el Prius de Blythe.

—Quería preguntártelo —dijo Blythe mientras April se ponía el cinturón de seguridad—. ¿Has conseguido que tu madre cambiara de opinión sobre no venir en Acción de Gracias?

—No. La única forma de conseguirlo sería vendarle los ojos y meterla en un saco.

El Prius avanzó silenciosamente por el camino circular y salió a la carretera que recorría la zona de casas de varios pisos en amplias parcelas.

—¿Tu madre sigue teniendo algún conflicto con la abuela? —siguió April con el ceño fruncido.

Blythe miró a April y se encogió de hombros.

—No lo sé, no lo hemos comentado, pero nuestra abuela se lo buscó al expulsar a sus hijas.

—Supongo...

—¿Tú volverás a Richmond para pasar la festividad? —preguntó Blythe.

—Es posible. No lo he decidido todavía.

—Puedes quedarte conmigo o estoy segura de que Mel...

—Gracias, pero, seguramente, la pase con mis padres.

La verdad era que no pensaba ir a Richmond, algo que ya le había dicho a su madre, quien le replicó que, en cualquier caso, cenarían con unos amigos. Le parecía muy bien. Era la primera fiesta que pasaría sin Clayton y la madre de este y quería tranquilidad para asimilarlo. Además, no quería pasarla con Mel porque, aunque adoraba a Ryder, a quien Mel había amado desde que era pequeña y quien era el motivo principal para que Mel hubiese vuelto a St. Mary's después de haber jurado que nunca volvería, era difícil soportar tanta felicidad en un espacio reducido. Además, Mel y los padres de Ryder todavía tenían algunos conflictos que resolver como consecuencia de la ira de su abuela. Sería preferible mantenerse al margen.

—Bueno, ¿y qué hay entre Patrick y tú?

—¿Qué...? Nada...

—Si no hubiese nada, él no se habría pasado los dos últimos días haciéndome preguntas que debería haberte hecho a ti. Sinceramente, me marcho un par de días y todo se va al garete.

—¿Qué...? —volvió a preguntar April con el ceño fruncido.

Su prima dejó escapar un suspiro de paciencia.

—Tú no tienes pareja y él, tampoco. Tú eres joven y adorable. Él es joven y sexy a más no poder. Que yo sepa, él no está saliendo con nadie y no hay ningún indicio de que las heridas le hayan afectado a la testosterona...

—Blythe, por favor...

—Además, tengo la sensación de que tú tampoco has estado viéndote en secreto con nadie desde la muerte de Clayton.

—No hace falta que seas tan... realista —replicó April sonrojándose.

—¿Sobre qué? ¿Que tu marido está muerto y tú no? Tienes veintiséis años y tu marido falleció hace... ¿casi un año? Además, sigues llevando los anillos aunque, aunque... —repitió cuando April abrió la boca— miras a tu jardinero como si hubieses estado un año a dieta y él fuese un pastel de nata. Sí, soy realista porque alguien tiene que serlo y tú no lo eres.

—Eso lo dice la mujer que cree que el amor es una majadería, según tus propias palabras.

—No son mis propias palabras —Blythe se rio levemente—. Además, eso se aplica a mí, no al resto del mundo.

—¿No te parece un poco hipócrita?

—Fíjate lo que me importa.

Entraron al aparcamiento del restaurante. No había mucha gente en esa época del año. Sin embargo, durante el verano, había que esperar una hora para conseguir mesa en esa marisquería. Vieron el coche de Mel, que ya estaba aparcado junto a la pasarela que llevaba al edificio sobre pilares y April sintió un escalofrío.

—También lo has hablado con Mel, ¿verdad?

—Sí, claro.

—Entonces, ¿esto es una comida o una... mediación?

Blythe apagó el motor, agarró el bolso y sonrió a April con la malicia reflejada en sus ojos grises como el humo.

—¿Quién ha dicho que no pueda ser las dos cosas? ¿Te interesa Patrick o no?

—Que me interese o no, no tiene nada que ver con...

—Limítate a contestar la pregunta.

Era el momento de la verdad. Aunque no pasaba

de ser una formalidad porque, si no le interesase, no estaría tan obsesionada como estaba.

—El tiempo está pasando —siguió Blythe tamborileando el volante.

—¿Si te digo... intrigada?

—Se parece bastante —contestó Blythe dándole una palmada en la rodilla—. Vamos... será divertido.

—Para vosotras.

Aunque, quizá sí necesitase una mediación o, al menos, una caja de resonancia. Algo que sus primas hicieron de maravilla cuando ella tenía catorce años y quisieron ayudarla con sus problemas con los chicos. Deberían de saber lo poco que había avanzado en ese terreno durante esos años. Aunque, si todo transcurría como se temía, estaban a punto de descubrirlo.

Capítulo 4

APRIL no pudo saber con precisión cuál de las dos estaba más boquiabierta, aunque le pareció que era Blythe.

—¡Venga ya! ¿Sigues siendo virgen?

—Sí.

Ella no había querido llegar a explicar el desenlace, pero sus primas la habían abrumado con tantos consejos que... se le escapó. Se intercambiaron unas miradas de estupefacción y Mel la miró con el ceño fruncido.

—Pero estuviste...

—Casada. Ya lo sé.

Y Patrick creía que él era el bicho raro...

—Veréis... —April se quedó mirando el enorme sándwich de ensalada de gambas y se preguntó cómo podría comérselo sin que se le cayera la mitad—. No tengo mucha experiencia, bueno, ninguna, en lo que se refiere a...

—¿La seducción? —preguntó Blythe con amabilidad.

April la miró fijamente a los ojos.

—Mmm... —farfulló Mel—. Has dado en el clavo.

—Yo no lo habría dicho así —replicó April comiéndose una gamba que había caído del sándwich—, pero supongo que tengo que empezar de alguna manera.

Sus dos primas seguían mirándola fijamente e inmóviles, salvo las bocas que masticaban la comida. April suspiró.

—Mi matrimonio... —se comió otra gamba— no fue por amor. Clayton y yo nos hacíamos un favor.

—Como buenos amigos... —dijo Blythe.

—Ya sé que suena raro.

—¿De verdad?

—Blythe, por lo que más quieras, cierra el pico y déjale que cuente la historia —intervino Mel.

—De acuerdo —April tomó aliento con las miradas de sus primas clavadas en ella—. Hace cinco años, una agencia de Richmond me hizo una entrevista para ser la cuidadora de Helene, la madre de Clayton, que vivía con él. Algo muy raro porque no sé por qué la agencia creyó que yo serviría para ese puesto, pero había tenido unos trabajos tan espantosos que ese me pareció maravilloso. No se necesitaba ninguna formación especial, que yo no tenía, y estaba bien pagado. Muy bien pagado. Además, Clayton estaba desesperado porque la anciana había tenido más de seis cuidadoras en un año.

—¿Te contó eso? —preguntó Mel asombrada.

—No. Me lo contó ella al minuto de conocerme.

—Que encanto...

—Sí, pero eso es lo curioso. Nos llevamos bien inmediatamente. Quizá fuese porque me recordaba a la abuela en su enorme casa. No podía hacer o decir nada que no hubiera visto u oído antes. Le hice frente, no me dejé impresionar —April sonrió al recordarlo—. Al cabo de una semana, ella ponía cara de fastidio cuando tenía que marcharme. Clay era su hijo único y nunca se había casado, creo que ella me consideraba la nieta que no había tenido.

—Entonces, domaste a la bestia —comentó Blythe mientras tomaba un trozo de langosta.

—No tanto —April se rio—. La anciana fue una pesadilla hasta el día que se murió, seis semanas después que Clay —April suspiró—. Supe cómo lidiarla, nada más. Clay estaba asombrado y muy, muy agradecido.

—¿Y...? —preguntó Blythe con delicadeza untando de mantequilla una galletita de queso.

April desvió la mirada hacia el paseo marítimo y las barcas que se balanceaban en el mar.

—Clay y yo charlábamos cuando él estaba por allí. Al principio, de su madre, pero luego fuimos hablando de otras cosas. De películas, noticias o cualquier cosa que se nos ocurriera. Era agradable, no era lo que me había esperado —añadió mirando otra vez a sus primas—. Al cabo de unos meses, me pidió que me planteara la posibilidad de vivir allí en una zona privada con sala, chimenea, jacuzzi... y un sueldo muy elevado. Habría sido idiota si lo hubiese rechazado. Cuando me mudé, empezamos a pasar más tiempo juntos cuando no estábamos trabajando. No tardé en darme cuenta de que era uno de los hombres más amables que había conocido... y divertido a su manera. Me gustó aunque fuese algo mayor que yo.

—¿Cuánto es «algo»?

—Tenía cuarenta y tantos años.

—¿Y no salías con chicos de tu edad? —preguntó Mel con el ceño fruncido.

—¿De mi edad? ¿De veintipocos? Nunca había salido mucho con chicos desde que dejamos de venir aquí en verano. Además, no me quedaba tiempo entre el colegio y el trabajo, y los Ross me mantenían muy ocupada —April sonrió—. Incluso me llevaron a Europa con ellos. He visto París.

—¿Y Clayton...? ¿No tenía novias? —preguntó Mel.

—Helene comentó algo sobre una novia que había tenido hacía unos años. Desde luego no parecía... interesado —sus primas arquearon las cejas y April suspiró—. Sí. Aunque nunca supe con certeza que fuese homosexual. Todo fue a posteriori —April había terminado el sándwich sin saber cómo y se limpió los dedos con la servilleta—. Poco después de que volviéramos, mi padre cayó enfermo con una infección muy rara que casi lo mata. Mis padres no tenían un seguro y aunque consiguió salir, la recuperación fue muy larga y solo estaba mi madre para cuidarlo. Casi me puse enferma preguntándome cómo podríamos pagar las facturas médicas, por la preocupación de que tuviese una recaída que pudiera matarlo y por lo difícil que era todo eso para mi madre. Sin embargo, yo no podía dejar el trabajo para ayudarla porque eran los únicos ingresos que teníamos.

—Cariño... —Mel le tomó la mano por encima de la mesa—. No sabía que la situación era tan grave.

—Nadie lo sabía. Mi madre no quería que la familia lo supiese porque se enteraría la abuela y no podría soportar que le dijese que ya se lo había advertido. Lo de casarse con mi padre, quiero decir.

—Y lo habría hecho —comentó Blythe con un suspiro.

—Sí —confirmó April—. En cualquier caso, intenté que los Ross no se enteraran cuando estaba con ellos, pero es difícil cuando estás viviendo en casa de alguien. Sobre todo, cuando él te sorprende llorando como una Magdalena.

—Vaya... —dijo Mel.

—Le conté toda la historia y Clay se limitó a escuchar. Ese mismo día... —April sintió un nudo en la garganta—. Liquidó todas las facturas, les dio una asignación mensual mientras mi padre estuviera recuperándose y les puso una enfermera que iba todos los días para que mi madre pudiera descansar.

—¡Vaya...! —exclamó Mel.

—Sí. Dijo que era lo mínimo que podía hacer después del milagro que yo había hecho con su madre. Entonces, un mes después, descubrió que él estaba enfermo. Además, en ese caso, era terminal. Me lo contó a mí, pero no quiso que su madre lo supiese por el momento. A mí me parecía que era un error no decírselo, pero, naturalmente, le dije que no lo contaría —April resopló—. Le dieron menos de un año. Pobre... Era callado y reservado, pero disfrutaba con todo lo que le ofrecía la vida. Entonces, a la semana siguiente, me dejó estupefacta cuando me pidió que me planteara la posibilidad de casarme con él porque eso haría muy feliz a Helene, sobre todo, cuando sabía que ella me apreciaba mucho —ella desvió la mirada—. Después de todo lo que había hecho por mis padres y por mí... ¿cómo podía negarme?

Llegó una camarera y preguntó si querían postre. Blythe y April contestaron que no, pero Mel se pidió un trozo de tarta de fresa tan grande como su cabeza, que la camarera sirvió con tres tenedores. Mel repartió los cubiertos y dejó la tarta en el centro de la mesa.

—¿Ni siquiera te lo planteaste?

April tomó un poco de tarta con el tenedor y la paladeó antes de contestar.

—Naturalmente, me quedé atónita, pero... no. Los quería mucho a los dos. Él también me prometió que nunca más tendría que preocuparme por la situación económica de mis padres.

Blythe frunció el ceño con el tenedor a medio camino de su boca.

—Sin embargo, estuviste casada casi cuatro años...

—Sí. Su oncólogo era increíble. Sobre todo, porque Clay se negó a recibir un tratamiento agresivo. Es más, incluso pudimos viajar durante algún tiempo.

—¿Y nunca...?

April se secó las lágrimas.

—Aunque él hubiese podido, eso no era... lo nuestro.

—Pero ¿tú no querías...?

—Supongo que no me paraba a pensarlo.

Blythe se comió lo que quedaba de tarta y Mel pidió otro trozo.

—Pero... cuatro años... ¡Vaya!

April esbozó una sonrisa algo tensa.

—Bueno, cuando Clay se dio cuenta de que no se cumpliría la previsión de los médicos, me preguntó varias veces si quería reconsiderar nuestro acuerdo y que él mantendría lo pactado sobre mis padres. Sin embargo, yo no quise.

—¿Por todo lo que había hecho por ti?

—En parte, sí. Aunque, además, también había hecho una promesa, por voluntad propia, y no soy de las que se echan atrás cuando algo se complica. Sin embargo, el verdadero motivo para quedarme fue que lo amaba, que los amaba a los dos. Eran unos amigos muy queridos y no los habría dejado abandonados por nada del mundo. Además, lo que piensen los demás al respecto... bueno, no es de su incumbencia, ¿no?

Vio que los ojos de Mel se empeñaban con lágrimas.

—No, claro que no. Aun así... —Mel entrecerró los ojos— Blythe y yo no somos «los demás» y es difícil respaldarte si no nos dices nada, ¿verdad? —le preguntó a Blythe.

Blythe asintió con la cabeza mientras servían el segundo trozo de tarta. Todas tomaron sus tenedores y empezaron a comer hasta que Blythe se dirigió a April.

—¿Nunca te habías encontrado con nadie, antes de conocer a Clayton, con quien quisieras desnudarte?

—Por todos los santos, Blythe, dale un respiro —le pidió Mel.

—Da igual —April miró a Blythe a los ojos—. No era la única virgen de veintiún años que había.

—Una de las pocas —replicó Blythe.

—Eso tampoco es asunto de nadie —April se encogió de hombros—. Además, yo no echo margaritas a los cerdos.

Mel farfulló que le habría gustado que alguien le hubiese dicho lo mismo en su momento. Blythe, sin embargo, replicó que las margaritas que Mel había echado a los cerdos se habían convertido en la niña de diez años más impresionante del mundo y que, por lo tanto, había salido bien.

—Pero ahora tienes veintiséis años y creo que Patrick no es un cerdo —insistió Blythe.

April se llevó otro trozo de tarta a la boca y pensó en cómo trataba él a Lili y a su cuadrilla y en sus intentos vanos de asustarla.

—No —aceptó ella en voz baja.

—Entonces, ¿a qué estás esperando? ¡Echa esas margaritas!

—Te olvidas de que no tengo ni idea de cómo se hace —replicó April.

Entonces, en ese mismo instante, Mel le dio un codazo a Blythe y señaló con la cabeza hacia la puerta del restaurante, que April no podía ver porque estaba de espaldas.

—¿Ha entrado...?

—Sí —contestó Mel—. Anillos fuera inmediatamente, antes de que nos vea.

—No puedo...

—Sí puedes. No puedes echar margaritas con esos diamantes puestos. Dámelos, te prometo que estarán a salvo. Te los devolveré cuando... —Mel entrecerró los ojos pensativamente— cuando hayas tenido la primera cita.

—¿Con Patrick?

—Con quien sea. Su hermano tampoco está nada mal —Mel se encogió de hombros—. Tú eliges.

—Es verdad —intervino Blythe—. Esos Shaughnessy están bien...

—¡April! —le interrumpió Mel—. Ahora.

—De acuerdo, de acuerdo.

April se quitó los anillos, los guardó en el monedero y guardó el monedero en el bolso. Sintió pánico cuando oyó las voces del hermano de Patrick y de la camarera. Si lo que se contaba era verdad, Luke era un conquistador incorregible. Entonces, mientras se frotaba el dedo donde habían estado los anillos, oyó la voz grave de Patrick y cerró los ojos hasta que alguien le dio una patada por debajo de la mesa. Tuvo que mirar a los Shaughnessy y sonreír. Los dos eran morenos y con ojos azules. Uno sonreía, el otro, no. Entonces, entendió el motivo, se le derritió el corazón y echó la primera margarita.

Su hermano se había dirigido directamente a la mesa de las primas y allí estaba él, delante de April, sin saber qué decir. Aunque, no era un inconveniente grave si estaba Luke. Sin embargo, mientras Luke, Mel y Blythe no paraban de parlotear, April lo miraba con una sonrisa, como si nunca hubiesen tenido la última conversación, como si no lo hubiese llamado idiota. Como si él no se hubiese comportado como un idiota. Su pelo parecía más rojo y sus ojos más azules. Además, aunque el jersey color crema la tapaba desde la barbilla hasta las muñecas, también se ceñía a todo lo que había en medio. No podía entender que pareciera tan provocativa e inocente a la vez, pero era una mezcla explosiva.

Entonces, la camarera llevó la factura y Mel y Blythe empezaron a pelearse por ella. Luke se rio y Patrick respiró aliviado. Al cabo de unos minutos, se habrían marchado.

—¿Qué tal? —le preguntó April por encima del jaleo.

—Bien —contestó él encogiéndose de hombros y mirando a un velero que navegaba por el mar.

—¿El trabajo bien?

—Marchando.

—¿Y Lili?

Blythe, con la factura en la mano, se levantó, agarró el bolso y coqueteó con su hermano como hacen las mujeres cuando pretenden que no parezca que quieren coquetear. Luke, el majadero, se tragó el anzuelo.

—Bien... Muy bien...

Él volvió a mirarla cuando se levantó y se puso la chaqueta antes de colgarse el bolso del hombro y le vio la mano... La miró a los ojos. Ella esbozó otra de sus deliciosas sonrisas y siguió a sus primas sin mirar atrás.

—¿Queréis sentaros aquí? —les preguntó Jeannie, la camarera.

—Claro —contestó Luke inhalando profundamente mientras se sentaba—. ¿Hueles eso?

—¿A pescado frito? —preguntó Patrick mientras se sentaba enfrente.

La camarera limpió la mesa y dejó servilletas, cubiertos y los menús. Algo innecesario porque todo el mundo de St. Mary's se sabía el menú de memoria desde que tenía uso de razón.

—No, memo. A mujeres. El olor más maravilloso del mundo.

—Eres lamentable —replicó Patrick sacudiendo la cabeza.

—No, tú eres lamentable. Dame un solo motivo para no haberle pedido una cita a April.

—¿Desde cuándo es de tu incumbencia mi vida privada?

—Es guapa, está libre y está interesada —siguió Luke inclinándose hacia delante—. Y no me digas que no. Además, parece una muñeca.

Jeannie les llevó té, coqueteó un poco con ellos, tomó nota y se marchó.

—Por eso precisamente no es mi tipo.

—¿Tipo? ¿Qué tipo? Solo digo que salgas un día con ella para ver a dónde llega... ¿Qué miras debajo de la mesa?

—Estoy comprobando que mamá no está escondida —contestó Patrick—. Es como si estuvieras diciendo sus palabras; tú, que crees que el matrimonio es para tarados.

—¿Quién ha hablado de matrimonio? Solo digo que no pasa nada por tener un poco de compañía femenina.

—Sí, pero April no es de ese tipo.

—No es tu tipo, no es de ese tipo... Eres agotador.

—No, soy realista. Para que lo sepas, ya lo intenté y se fastidio... o lo fastidié yo, no lo sé. Además, April... tiene clase, y de verdad. Aunque tú no sabes nada de eso...

—¡Oye!

—También es viuda desde hace poco.

—¿De verdad? Entonces, seguramente esté... necesitada...

—Justo lo que yo necesito.

—En realidad...

—En cualquier caso, no creo que ni ella sepa lo que quiere... o necesita.

—¿Lo sabes tú? —preguntó Luke bajando la voz—. Hay cosas peores que un revolcón con una viuda ardiente, hermanito...

—Basta, Luke.

—Mmm... —Luke se dejó caer contra el respaldo de la silla.

—¿Qué? —preguntó Patrick mirándolo a los ojos.

—Estás asustado.

—No es verdad.

—Estás asustado y ¿sabes por qué? Porque sientes algo por ella.

—Eso es absurdo. No la conozco casi.

—¿Cuántas veces le hemos oído a papá contarnos que lo supo a los cinco minutos de conocer a mamá?

—¿Desde cuándo te crees esas tonterías? —preguntó Patrick frotándose la mejilla con cicatrices.

—Que no me haya pasado a mí no quiere decir que no les pasara a él o pueda pasarle a alguien.

—Te recuerdo que ya me pasó con Natalie —Patrick lo miró fijamente—. Mira cómo acabó.

—¿Cuántos años teníais cuando os conocisteis? A esa edad todo el mundo es el único, hasta que ve a otra persona. Además, se quedó embarazada y eso complicó las cosas, ¿no?

—Amé a Nat y si no...

—Si no te hubiesen herido seguiríais juntos —terminó Luke casi con delicadeza—. ¿Sabes una cosa? Tú no tienes la culpa.

Patrick se estremeció. En parte por las palabras de su hermano, pero, sobre todo, porque le habían rasgado la capa de amargura y compasión consigo mismo que no sabía que tenía.

—Estoy siendo un mamarracho, ¿verdad?

—Un poco —contestó Luke con una sonrisa—. Sin embargo, lo que no has tenido en cuenta es que April ya sabe lo peor. Tu cara nunca va a tener mejor aspecto que ahora, cambias de humor más que una niña de catorce años y podrías hundir un carguero con todo lo que llevas encima, pero, aun así, le gustas y tú buscas excusas para no tener nada con ella. Llámalo como quieras, pero es una oportunidad. Es posible que no lleve a ninguna parte, pero lo que está claro es que no estás contento con tu situación actual. ¿Qué puedes perder? No puedes escudarte para siempre en lo que te pasó. Invítala a salir, te reto.

Patrick sabía que, en gran medida, lo que estaba diciéndole su hermano era verdad. Su resistencia se contradecía con la promesa que se había hecho de no dejarse limitar por las circunstancias o el miedo. Aun así, una cosa era hacer frente a sus propios demonios y otra muy distinta arrastrar a alguien a esa batalla. Además, también tenía que pensar en Lili...

—Lo pensaré.

El Día de Acción de Gracias amaneció soleado, pero a mediodía unos nubarrones dejaban caer una llovizna fría y deprimente. April, sin embargo, no sentía ninguna melancolía aunque estaba sola en la posada. Tenía encendida la chimenea de la sala y toda una serie de sobras deliciosas en la nevera, con las que se preparó un almuerzo digno de una reina. Luego, se sentó a una de las seis mesas del comedor y miró la lluvia que caía en el mar mientras comía y recordaba el anterior Día de Acción de Gracias... con Clay. Le pareció que hacía un millón de años. Helene y ella tomaron comida muy ligera con Clay, en su habitación. Se le empañaron los ojos de lágrimas. No de tristeza, sino por haber estado allí con ellos, porque los dos dejaron este mundo sabiendo que les querían y por haber tenido el privilegio de quererlos y de que la quisieran.

Cuando terminó de comer, llevó el plato y el vaso de té a la cocina y los fregó a mano mientras dejaba de llover y un rayo de sol iluminaba el suelo de madera de arce. Sonriendo, volvió al comedor para salir a la habitación acristalada que daba a los jardines con el mar de fondo. Seguía sin acostumbrarse a lo maravilloso que era y, aunque el suelo estaba empapado y llevaba un jersey muy fino, el sol la atrajo hacia el exterior mientras sus pensamientos la llevaban por senderos que no seguiría si tuviera el más mínimo juicio. Sin embargo, se sentía increíblemente bien al saber que había desconcertado a Patrick en Emerson's, tanto por haberse portado como si no hubiera pasado nada como por haberse cerciorado de que se diera cuenta de que se había quitado los anillos. Su expresión fue indescriptible... y entrañable en cierto sentido.

Hablando de anillos, Mel se ocupó de que estuvieran a buen recaudo. Sobre todo, para que ella no tuviera la tención de ponérselos otra vez. Se sentía rara sin ellos, pero también liberada. Sin embargo, lo verdaderamente liberador era haber encontrado las agallas para quitarse de encima las dudas y los escrúpulos y haberse lanzado a por la oportunidad. Patrick era un buen hombre y, evidentemente, un buen padre. Si le asustaba un poco comprobar a dónde llevaba eso... bueno, sabía muy bien lo que era estar asustada, ¿no?

El nubarrón reapareció y el viento convirtió a los palos más pequeños en auténticos misiles. April volvió adentro y tuvo que hacer un esfuerzo enorme para cerrar la puerta. La tormenta había vuelto con fuerzas renovadas y parecía como si quisiera arrancar la casa de cuajo. Las luces parpadearon mientras iba a la cocina. Aunque sabía que la casa había aguantado huracanes, no pasaría nada si bajaba a la bodega hasta que hubiera terminado la tormenta. Sacó una linterna de un cajón y bajó corriendo intentando no dejarse llevar por la imaginación. Nunca se había sentido tan sola e impotente. Entonces, el viento cesó como si lo hubieran apagado con un interruptor. Esperó con el corazón acelerado y escuchando su respiración en esa calma casi antinatural. Un rayo de sol entró por un ventanuco que había cerca del techo. Volvió a subir las escaleras, dejó la linterna en el cajón y se acercó con cuidado a una de las ventanas de la cocina... Se quedó petrificada antes de darse la vuelta y salir corriendo hasta la puerta principal. La abrió de par en par, se llevó una mano a la boca y los ojos se le inundaron de lágrimas. Fue al porche y se dejó caer en el primer escalón sin importarle el agua gélida que resplandecía en la madera recién pintada.

Capítulo 5

EL olor a canela y pavo asado recibió a Patrick cuando entró en casa de sus padres el Día de Acción de Gracias. Con Lili apoyada en la cadera, sorteó un grupo de niños mientras iba a la cocina. Cada año había más gente en esa fiesta y era más ruidosa. Sus hermanos casados, que tenían casas más grandes, se habían ofrecido a turnarse, pero a su madre le parecía una idea espantosa y seguían metiéndose cada vez más personas en ese cuadrado diminuto. Daba igual que hiciese bastantes años que no podían sentarse todos a la misma mesa o que su madre se enfureciese todos los años cuando encontraba algún cojín manchado de pastel de calabaza. Era una fiesta hogareña y el hogar estaba donde todavía vivían los padres.

—¡Mi chiquitina!

Su madre levantó las manos entre las cinco mujeres que había en la cocina, cuando solo cabía una, y él se inclinó para que pudiera darle un beso a Lili.

—Déjala en el suelo para que vaya a jugar con sus primos.

Una vez en el suelo, su madre siguió revolviendo lo que hubiera en el cazo y sonrió a Patrick.

—Luke me ha contado...

—¡Mamá! —gritó Frances, la hermana mayor—. ¿Dónde está el azúcar moreno?

—No lo sé, usa la normal, que está en el armario que tienes delante. Tú no te marches —le dijo a Patrick—. Quiero hablar contigo...

—¡Abuela! —un niño apareció en medio—. Papá dice que ha empezado el partido, que si hay algo de comida.

—Sí. Dile que se llama cena de Acción de Gracias y que tardará una hora o así, que se tranquilice —todos los años pasaba lo mismo, era una tradición—. ¿Lo has entendido?

—Sí... —contestó el niño antes de desaparecer.

—¿Una hora...?

—Metí el pavo un poco tarde. En cualquier caso, tu hermano...

—¡Mirad! —exclamó Sarah, su hermana pequeña, que estaba mirando una pequeña televisión—. ¡Un tornado pequeño ha pasado por el norte del pueblo!

—¿Qué...? —preguntó Patrick dándose la vuelta.

—Sí, mira.

Frunció el ceño al ver el texto en la parte inferior de la pantalla. El norte era... Patrick se abrió paso entre el gentío y salió al patio trasero con el móvil pegado a la oreja.

—Vamos... Contesta, maldita sea...

Seguramente, estaría bien. Lo más probable era que estuviese en Richmond con sus padres o con Mel y Ryder. Entonces, saltó el contestador.

—Soy Patrick... mmm... El noticiario ha dicho que es posible que un tornado haya pasado por allí... Quería saber que estás bien... Llámame si quieres.

Estaba temblando. Si faltaba una hora para la cena, podía pasar un minuto por la posada...

—Patrick...

Levantó la mirada y vio a su madre que lo observaba desde la puerta.

—Dile a Lili que volveré enseguida —dijo él mientras salía por una puerta lateral antes de que su madre le hiciera más preguntas.

Llevaba algunos kilómetros a través de zonas intactas cuando empezó a sentirse ridículo. La televisión siempre exageraba mucho cuando hablaba de tiempo, pero... Vio una rama en un costado de la carretera. Luego, un trozo de cubierta arrancada y, cuando estaba a unos ochocientos metros de la posada, la cosa empezó a ponerse más fea. Un pino tumbado en un jardín, el cartel de un restaurante que había desaparecido, un trozo de metal incrustado en el costado de un edificio... Se acercó a la posada con una opresión en el pecho y soltó una maldición cuando vio el jardín delantero arrasado. La casa parecía estar bien, pero... Aparcó la furgoneta, se bajó de un salto y subió los escalones del porche.

—¡April! ¡April! —golpeó la puerta y llamó al timbre—. ¿Estás ahí?

Volvió a bajar los escalones con el pulso acelerado y se dio la vuelta para mirar la casa. Faltaban un par de contraventanas y un canalón estaba arrancando, pero no era nada irreparable. Rodeó la casa y vio que los macizos de rododendros estaban bien. El viento debía de haber llegado por el otro lado. Quizá, si April estuviese fuera, la cuadrilla y él podían pasarse al día siguiente y arreglarlo todo antes de que ella volviera... Dejó escapar otro juramento cuando llegó a la parte de atrás. Un pino había caído encima del cenador y lo había machacado y algunos de los árboles que había plantado él estaban arrancados de raíz...

—Patrick...

Se dio media vuelta y no supo si reírse o enfurecerse cuando vio a April. Estaba mugrienta, llevaba una sudadera de alguien mucho más grande que ella, unas botas de goma inmensas y ¡la cinta en el pelo! Además, arrastraba una rama el triple de grande que ella.

—¿Puede saberse qué estás haciendo?

—Limpiar mi jardín. ¿Puede saberse qué haces tú aquí?

Para su bochorno, Patrick notó que el rostro le ardía. No supo qué lo había alterado más, si no saber si estaba bien o comprobar que lo estaba.

—¿No has oído mi mensaje de voz?

—No... Dejé el teléfono en la cocina antes de salir... antes de la tormenta, quiero decir, y lo he olvidado —April soltó la rama—. Estaba un poco preocupada.

—¿Estabas aquí? ¿Sola?

—Sí —ella se metió las manos en los bolsillos—. Me escondí en la bodega hasta que pasó.

—Bien hecho.

—Eso me pareció.

—¿Pasaste miedo?

—Fue todo tan rápido que no tuve tiempo, pero no has contestado mi...

—Salió en las noticias. Creen que fue un pequeño tornado...

—¿Lo dices en serio? —preguntó ella con los ojos como platos.

—Pensé que podía comprobar cómo estaba... la casa —Patrick hizo una pausa—. Cómo estabas tú.

—Estoy bien —ella se pasó un guante embarrado por la mejilla—. ¿Un tornado...?

—Eso creen. Algo que solo pasa una vez en la vida...

—Desde luego. Aunque... —ella miró alrededor—. Patrick... Todo el trabajo que habíais hecho...

—Eso puede arreglarse.

Sonó su móvil, lo sacó e hizo una mueca de fastidio al ver el número de su hermano.

—¿Dónde te has metido? —le preguntó Luke—. Mamá dijo que te marchaste y el pavo está a punto de salir del horno...

—Estoy en la casa de April. La tormenta, ha sido muy fuerte. Un pino de diez metros le ha destrozado el cenador y muchos de los árboles plantados. Dile a mamá que lo siento, pero no puedo marcharme y dejarlo todo en este estado. Eso sí, guardadme algo de pastel; lo comeré cuando vaya a recoger a Lili. ¿De acuerdo?

—Claro, se lo diré, pero...

Patrick colgó, se dio la vuelta y vio a April que lo miraba con una expresión muy rara.

—No irás a decirme que vas a perderte la cena de Acción de Gracias por una tormenta...

—¿Por qué? Tú vas a perdértela.

—En realidad, ya he celebrado el Día de Acción de Gracias —replicó ella agarrando la rama otra vez y apretando los dientes.

—¿Con tu prima? Por lo que más quieras, deja eso de una vez.

Dejó caer la rama al cabo de unos segundos, se quitó un guante y se pasó un mechón por detrás de la oreja. Nunca la había visto tan desaliñada y que le importara tan poco.

—No, sola.

—¿Sola?

—Sí, sola. ¿Tienes algo que objetar?

Patrick la miró un momento y volvió a la camioneta para recoger unos guantes. Se los puso, volvió y miró la rama.

—¿Adónde la llevabas?

—No lo sé. A la carretera, supongo. Pensé que, si limpiaba lo más pequeño por lo menos... —April miró hacia otro lado y se aclaró la garganta—. Uno de los pinos ha caído encima del cenador...

—Ya lo he visto. Nos ocuparemos...

—Te pagaré...

—No te preocupes por eso.

Él agarró la rama y la llevó hasta la carretera. Cuando lo hubieran reunido todo, decidirían si necesitaban un camión para recogerlo o no. Aunque podría hacerse leña con el pino...

—¿Por qué estás siendo tan amable conmigo?

April se había acercado por detrás y lo había asustado.

—¿Qué...? —preguntó él dándose la vuelta.

—Para ser alguien que el otro día me dijo que no era recomendable... —ella entrecerró los ojos—. Lo siento, pero las piezas no encajan.

La miró un momento a los ojos antes de fijarse en otra rama.

—No lo interpretes como no es.

—¿No...? Intentaste que pensara que eres un bicho raro, Patrick, pero los bichos raros no dejan una fiesta familiar para comprobar cómo está una mujer a la que han intentado ahuyentar.

Él, sin decir nada, agarró otra rama y la tiró encima de la primera. Luego, volvió al jardín para valorar los daños y decidir lo que podía salvarse y lo que habría que reponer.

—No te lo tomes a mal —comentó él por fin—, pero habría hecho lo mismo por cualquier cliente.

Como ella no dijo nada, él se dio la vuelta para mirarla. Estaba esbozando una de sus enigmáticas sonrisas mientras sacudía la cabeza.

—¿Qué pasa ahora?

—Qué mentiroso eres —contestó ella poniéndose los guantes.

Era tan adorable que él se quedó aturdido un momento. Lo cual, si se tenía en cuenta el lamentable aspecto de ella, decía muy poco de su salud mental.

—Bueno, ¿cuál es el plan?

—¿Cómo dices? —preguntó él.

—Para el jardín.

Se sintió aliviado, dejó de mirarla y señaló hacia uno de los macizos de flores.

—Seguramente, podríamos salvar muchas de esas plantas si les quitamos todo lo que tienen encima antes de que sufran de verdad. ¿Por qué no vas empezando con eso?

Él se quedó parado y mirando fijamente hacia la carretera.

—¿Qué estás mirando? —preguntó April mirando hacia donde miraba él—. ¿Son...?

—Eso parece.

Una fila de coches llenos de Shaughnessy fue parándose al lado de ellos en el camino de entrada. April los miró con una mezcla de incredulidad y gratitud.

—Estáis todos locos.

Patrick pensó que tenía razón mientras su familia

iba saliendo de los coches con lo que parecía ser toda la cena de Acción de Gracias. Apretó los labios en una sonrisa tensa cuando su madre fue directamente hacia April. Aparte de ponerle la zancadilla, no podía hacer gran cosa.

April pensó que era como sentirse rodeada por una legión de ángeles celestiales. Las mujeres, y un montón de niños, entraban en la casa con fuentes, cazuelas y platos tapados mientras que los hombres ya estaban con las podadoras, las palas y las sierras mecánicas.

—Espero que no te importe que aparezcamos así, pero cuando supimos lo grave que era...

La madre de Patrick se presentó y le estrechó la mano con firmeza y calidez, la misma firmeza y calidez de su sonrisa, la sonrisa de una mujer que lo había visto todo y había sobrevivido. Kate, sin soltarle la mano, miró alrededor antes de volver a mirarla.

—No podíamos seguir y disfrutar de la cena sabiendo que Patrick y tú no ibais a disfrutarla. Por eso la hemos traído aquí. Cenaremos cuando hayan terminado los muchachos.

—¿Han dejado el partido...? —preguntó April con lágrimas en los ojos al acordarse de que su madre siempre tenía la cena preparada a tiempo.

Kate dejó escapar una carcajada.

—Bueno, para eso están las grabadoras de vídeo, ¿no? En cualquier caso, en cuanto Luke les contó lo que había pasado, todos se levantaron y se pusieron los chaquetones. Ellos son así.

—Aun así, no puedo creerme...

April se dejó caer en el escalón superior del porche

con la cara entre las manos. Kate se sentó a su lado y le acarició la espalda.

—No pasa nada, cariño. Ya estamos aquí. No te preocupes. Los muchachos lo arreglarán enseguida. Aunque llevo toda mi vida aquí, nunca había visto algo así. Es muy raro...

April apartó las manos y miró a Patrick, quien estaba cortando ramas con Luke y su padre.

—Algunas veces pienso que toda mi vida es una sucesión de rarezas.

—No digas esas cosas —replicó Kate entre risas antes de pasarle un brazo por los hombros.

—Gracias.

—Nos alegramos de poder ayudar —Kate la soltó y se rio—. Esos memos están contentos siempre que les des de comer —añadió señalando a los hombres.

April resopló y se levantó.

—Hablando de todo un poco, debería ayudar en la cocina.

—¿Con todas esas? Creo que es mucho más seguro que te mantengas alejada de ellas. Aunque Patrick me ha contado que la cocina es un sueño hecho realidad.

—Sí —April volvió a sentarse—. Al menos, Mel, mi prima que va a ocuparse de la cocina, dice que lo es. Yo casi no sé ni hacer una tostada, pero ¿seguro que tú quieres quedarte fuera? Hace frío...

—No te preocupes por mí —Kate miró hacia la casa por encima del hombro y suspiró—. Joe y yo nos casamos aquí.

—¿De verdad?

—Sí. Como puedes imaginarte, la casa ocupa un sitio especial en mi corazón. Me alegra mucho que decidieras reabrirla —añadió Kate con una sonrisa.

—Yo también.

—Patrick me ha contado que eres viuda...

No debería sentirse incómoda por eso. Era una realidad, pero, a pesar de la delicadeza del tono, sintió un escalofrío.

—Sí. Desde hace casi un año. Bueno, ¿quién es todo el mundo? —preguntó April para cambiar de tema sin ser grosera—. Conozco al padre de Patrick y a Luke, pero los demás...

Kate fue señalándoselos uno a uno. Desde Joe hijo, el mayor de los nietos, hasta Sean, el más joven y el único de los cuatro chicos que, según ella, no quería entrar en la empresa familiar.

—Quiere ser abogado —le explicó Kate encogiéndose de hombros y sonriendo con orgullo.

Había más todavía. El novio de su hija pequeña, un negro muy atractivo que, como Sarah, estaba estudiando en la universidad. El marido de Frannie, su hija mayor, que era un rubio fornido con una risa estruendosa. También estaba el marido de Bree, su hija intermedia, que se parecía a Silvester Stallone de joven. Todos tenían nombres, claro, pero enseguida se le mezclaron. Entonces, Patrick las miró y no frunció el ceño, pero casi.

—Me parece que hay alguien descontento conmigo —comentó Kate.

—¿Contigo? ¿Por qué contigo?

—Porque te he acaparado —contestó ella—. Ya me ha visto hacerlo con las otras...

—¿Hacer qué...? Ah... —April suspiró.

—Aunque no te lo creas, no quiero hacer de casamentera ni meterme donde no me llaman, como probablemente esté pensando Patrick, pero los hermanos hablan y Luke me contó vuestro encuentro el otro día en Emerson's.

—¿Encuentro? No hablamos ni una docena de palabras.

—Eso dijo Luke —confirmó Kate con una sonrisa—. Me considero una madre vieja y sensata que ha aprendido algunas cosas al ver que sus hijos se han enamorado y desenamorado infinidad de veces y veo indicios muy claros de que Patrick está... interesado y furioso porque no sabe qué hacer al respecto.

—Pero... no hay nada entre nosotros...

—Todavía.

De repente, todas las mujeres y los niños que parloteaban en su cocina le parecieron atractivos. Aun así, si había alguien que entendía a ese hombre, esa era su madre. Además, solo querría lo mejor para él. Sobre todo, después de...

—Lo siento —dijo su madre con amabilidad—. Estoy incomodándote.

—No —replicó April—. Sin embargo... —ella miró a Patrick hasta que él también la miró antes de fruncir el ceño y mirar hacia otro lado—. Luke no se imaginó nada, al menos, por mi parte. Yo también estoy interesada. Sobre todo, porque sé que Patrick intenta mantenerse alejado, pero lo que dice y lo que hace son dos cosas muy distintas.

—Le han hecho daño y no me refiero al aspecto físico, aunque, claro, eso también ha sido muy complicado.

—¿Qué pasó? —preguntó April sin dejar de mirar a Patrick.

—¿No lo sabes? —Kate suspiró cuando April negó con la cabeza—. No me sorprende. No soporta que la gente le dé excesiva importancia.

—Le dé excesiva importancia... ¿a qué?

—Estuvo en Irak. En el ejército. Hace cuatro años.

Una bomba estalló en una casa cuando su patrulla y él entraron y la incendió. Dos de los hombres le deben la vida.

—¿Los otros...? —susurró April.

Kate negó con la cabeza y lágrimas en los ojos. April le tomó la mano y la mujer se la estrechó con fuerza.

—Estamos muy orgullosos de lo que ha superado hasta el momento y sé que ha querido tirar la toalla muchas veces. Sobre todo, cuando volvió con su esposa y su hija... cuando ella le dijo que no podía... —Kate no pudo seguir—. Los hombres oyen durante todas sus vidas que tienen que ser fuertes, que no pueden sufrir o que tienen que disimularlo. Por eso, se alejan desorientados cuando, en realidad, lo que quieren es que los consuelen.

—¿Patrick no te deja que lo consueles?

—Creo que me dio miedo intentarlo, que pensara que lo trataba como a mi niño pequeño —Kate se rio levemente y se secó una lágrima con la manga—. Algo que, naturalmente, sigue siendo. Todos lo son. Evidentemente, ha cambiado y creo que sigue teniendo pesadillas, aunque no tantas como antes. Es posible que necesite terapia toda la vida, tanto física como mental, pero, a pesar de todo, sigue siendo el mismo por dentro. Patrick era un niño muy alegre que siempre sonreía.

—Y quieres volver a ver a ese niño.

La mujer sacó un pañuelo del bolsillo y se secó la nariz.

—Sí. Patrick necesita a alguien, aparte de nosotros, con la fuerza y el valor de conocer su parte verdadera aunque las cosas estén complicadas. De consolarlo aunque él diga que no lo quiere. De... conseguir que vuelva a ser el que era. Natalie, su exesposa, no era esa persona.

—¿Y crees que yo sí lo soy? —preguntó April a punto de soltar una carcajada.

—No tengo ni idea. Acabo de conocerte, pero tienes que saber en qué estás metiéndote por si las cosas... van a más, por el bien de los dos.

—¡Mamá! —una pelirroja que se parecía mucho a Kate asomó la cabeza por la puerta—. ¿Quieres hacer la salsa o la hago yo?

—Ahora voy, Frannie —Kate se levantó y se limpió el trasero—. El conocimiento da el poder.

Kate la abrazó y April se estremeció un poco. April siguió a la madre de Patrick adentro de la casa, pero se detuvo en el recibidor para asimilar las risotadas que salían de la cocina... o para prepararse. Esos Shaughnessy eran muy ruidosos. Apareció otra mujer algo más joven que la anterior, más delgada y con el pelo encrespado.

—Eres April, ¿verdad? Soy Bree, otra hermana —se presentó estrechando la mano de April con una sonrisa de oreja a oreja—. Esta casa es increíble. Y la cocina... ¿Te importa si cambiamos de sitio los muebles del comedor?

—¡No! Adelante, haced lo que queráis.

—Perfecto.

Bree desapareció y April cerró los ojos. Se había imaginado la posada como un sitio para refugiarse de la vorágine de la vida, quizá eso era lo que le parecía de niña. No había esperado que tener una posada fuese algo fácil ni que no fuese a haber sorpresas, pero quería que sus huéspedes sintieran la misma tranquilidad en la medida de lo posible. Sin embargo, se acordó de lo mucho que se rieron las tres primas durante aquellos veranos, de que las paredes de la casa de su abuela retumbaban con sus gritos de alegría. No hubo tranquilidad entonces, pero hubo algo mucho mejor: alegría. La emoción se adueñó de ella al darse cuenta de que lo que hubo entonces, seguía allí y superaba a los recuerdos amargos que habían contaminado ese sitio según su madre. Eso fue lo que le inspiró el sueño infantil de llegar a ser la propietaria de Rinehart algún día y lo que hizo que se lo comprara a sus primas.

Entonces, los hombres empezaron a entrar y Patrick les exigió que se quitaran los zapatos y que no tocaran nada hasta que se hubieran lavado las manos. Se emocionó, pero también se entristeció al acordarse de lo que le había contado Kate. Ser adulto estaba muy bien, pero no a costa de sofocar el rescoldo de alegría infantil que hacía que mereciera la pena vivir la vida. Tenía que felicitarlo por su valor y fortaleza para superar todo lo que le había pasado, pero salir adelante no era lo mismo que vivir y quizá, solo quizá, ella pudiera avivar ese rescoldo. No lo sabía, pero tampoco sabía que no pudiera ni lo sabría si no lo intentaba.

Capítulo 6

DE qué hablabais? —le preguntó a su madre en la cocina con Lili dormida contra su pecho.

Ella se rio mientras secaba la fuente del pavo. Le había fastidiado no haber podido arrinconarla hasta ese momento, pero era imposible tener una conversación privada con tanta gente.

—De todo un poco —contestó ella antes de dejar la fuente y ponerse el chaquetón.

—¿No vas a decírmelo? —le preguntó Patrick.

—No.

Ella echó la última ojeada a la cocina y se excusó para ir al cuarto de baño. Entró su padre y también dio el visto bueno.

—Nunca habría pensado que fuese posible lo que han hecho esas chicas —su padre se sentó en un taburete y sonrió a Lili—. Me recuerda a cuando vosotros os dormíais así. Alguna vez lo echo de menos. ¿Has sabido algo de su madre hoy?

—No, y tampoco lo esperaba.

—Lo siento por Lili, pero no por ti. Natalie ya no pinta nada.

—Nunca habías dicho eso.

—No me correspondía hacerlo.

—¿Y ahora sí?

Su padre se quedó un rato en silencio.

—Ella es distinta, ¿verdad?

—¿Quién?

—April, ¿quién va a ser? ¿Sabes lo que creo? Creo que deberías invitarla a salir.

—Has estado hablando con Luke —replicó Patrick con un suspiro.

—Es posible. Vamos... ¿Qué puede pasar? Como mucho, que no quiera. Tienes que abrirte.

—¿Por qué hablamos siempre de lo mismo? —susurró Patrick—. Ya intenté abrirme y no dio resultado.

—Inténtalo otra vez. Y no me mires así. Sabes que nunca has sido un miedoso. Además —su padre bajó la voz—, algo me dice que tienes posibilidades, y tú también lo sabes, ¿verdad?

—Y tú estás metiéndote donde no te llaman.

—Me da un motivo para vivir —replicó Joe encogiéndose de hombros—. Solo queremos que seas feliz otra vez, como lo eras...

—Antes. Captado.

—Solo digo que depende de ti. Controlas las cosas más de lo que quieres creer.

—Es verdad, y una de las cosas que quiero controlar son las consecuencias de mis actos en Lilianna. Ya ha perdido prácticamente a una madre. No voy a hacer que pase por lo mismo.

—Entonces, ¿vas a vivir como un monje hasta que se vaya a la universidad?

—Joe, ¡por el amor de Dios! —exclamó su madre, que había vuelto a por el bolso—. Déjalo en paz. ¿Quieres que nos la llevemos nosotros?

De repente, la idea de soltar a Lili fue como una puñalada en el pecho.

—No, me iré a casa en cuanto haya hablado con April para aclarar la situación. Sobre los jardines —añadió al ver que sus padres sonreían—. Marchaos, hablaré con vosotros más tarde.

Sus padres se marcharon, pero él tardó algunos minutos en encontrar a April en la enorme casa, pero la encontró en un pequeño cuarto que formaba parte de sus aposentos. Estaba acurrucada en un sofá de dos plazas y miraba las llamas de la chimenea de gas. Dio un respingo cuando él golpeó levemente el marco de la puerta y luego le sonrió. Entonces supo que, efectivamente, lo peor que podía pasar no era que ella no quisiera, lo peor sería que sí quisiera.

Ella no había querido escuchar a escondidas. Más aún, se alejó en cuanto se dio cuenta de que Patrick y su padre estaban hablando de ella, pero ya había oído lo bastante como para darse cuenta de que Patrick y ella habían llegado a un punto en el que tenían que decidir si nunca iban a llegar a una parte o si querían intentarlo. Además, era evidente que ella tendría que tomar la iniciativa aunque la habían educado para que nunca lo hiciera.

—Hola, creía que te habías marchado.

—Estaba a punto, pero no hemos podido hablar de los daños.

—Es verdad.

—No es tan grave como parecía, afortunadamente.

—No hace falta que te quedes ahí. Siéntate.

Él se sentó en el borde de un sillón de orejas, enfrente de ella y con Lili en el regazo. April sonrió intentando no hacer caso de la opresión en el pecho.

—Está molida...

Él miró a su hija, sonrió y la opresión fue casi dolorosa.

—Creo que todos lo estamos —Patrick miró alrededor—. No había estado aquí. Es muy bonito.

—Sí, es acogedor. La sala me parece abrumadora cuando estoy sola.

—Me lo imagino. ¿Qué tal estás? Quiero decir, tú sola en un sitio tan grande...

—Bien, aunque tengo que reconocer que al principio tuve un poco de miedo.

¿Podía reconocerle que nunca había vivido sola antes de casarse y que se mudó a un apartamento después de la muerte de Helene porque esa casa no le parecía suya?

—Estoy deseando que lleguen los primeros huéspedes. Además, creo que voy buscar una especie de encargado que viva aquí. Es posible que a una pareja. No lo he decidido todavía.

—Es una idea. En cualquier caso... —él miró ligeramente hacia la izquierda—. Hemos salvado casi todas las plantas. Podemos volver el lunes y reconstruir el cenador y plantar algunas cosas irrecuperables. Todo está cubierto —añadió él con una sonrisa—. No regateaste, ¿te acuerdas?

—Entiendo —ella agarró el brazo del sofá—. Entonces, me cobraste de más.

—No —él se rio tan fuerte que Lili se agitó—, pero son cosas que pasan. Al menos, esta vez no tenemos que perder dinero.

—¿Pasa muchas veces?

—No. Siempre cobramos lo suficiente para cubrirnos las espaldas cuando las plantas se mueren o algo así...

Tenía que hacerlo, le repetía una vocecilla por dentro.

—Invítame —dijo ella en voz baja.

Sus primas estarían orgullosas de ella. Naturalmente, no se lo había propuesto ella, pero le había dado la ocasión.

—¿Qué? —preguntó Patrick mirándola a los ojos.

—Invítame a salir.

—April...

—Nada del otro mundo —aclaró ella con la esperanza de no parecer desesperada—. A cenar a Emerson's o al cine. Si todo sale bien... A lo mejor un beso de buenas noches al final...

Se había achantado, pero no porque le pareciera una idea espantosa. Aunque fruncía el ceño. La sensación de poder le pareció extraña y maravillosa.

—Creía que había dejado claro...

—Lo que está claro es que hay algo que vibra entre nosotros —le interrumpió ella—. ¿De acuerdo?

—De acuerdo, pero eso no significa que me parezca bien dejarme arrastrar.

—¿Por qué?

—Porque no estoy en el mercado de las relaciones sentimentales y no sé si lo estaré alguna vez. Tú, en cambio...

—... veo a alguien que me gustaría conocer mejor. ¿Qué es lo que te cuesta tanto entender?

—Que me hayas elegido a mí.

Aunque la miraba fijamente a los ojos, pudo captar su desconfianza. Quiso partirle la cabeza con una de las sartenes de Mel.

—¿De verdad? ¿Pones en duda mi buen juicio?

—Más bien... tus motivos.

—No siento lástima por ti, si es a lo que te refieres. Si es eso, estoy dispuesta a retirar la oferta. Sé lo que pasó, tu madre me lo contó.

Patrick suspiró, cerró los ojos un instante y volvió a abrirlos.

—No debería habértelo contado.

—Pues lo hizo. ¿Tienes miedo a invitarme a salir contigo?

—No —él dejó escapar una risa ronca—. Solo empleo el sentido común.

A ella le pareció que era lo mismo y que estaba pidiendo a gritos que le diera un sartenazo.

—Yo sí lo tengo y me da igual quién lo sepa.

—¿De verdad? —él esbozó algo parecido a una sonrisa—. Podrías haberme engañado.

—Consigo parecer más valiente de lo que soy, pero por dentro soy un manojo de nervios.

Él pareció meditarlo un instante.

—Entonces, ¿por qué no me has invitado tú a salir?

—De entrada, porque soy una chica anticuada y, además, porque tú necesitas hacerlo.

—¿De verdad?

—Sí —April se levantó—. Sin embargo, ¿sabes una cosa? Tienes razón. Si crees que no estás preparado o que salir juntos sería una pérdida de energía o de tiempo para ti, se acabó. Discutir con una pared de ladrillos es una pérdida de tiempo y de energía para mí...

Él se levantó casi de un salto y se colocó a Lili con la cabeza en el hombro. Ella se preparó para la explosión o para que se marchara dando un portazo. Sin embargo, no se había esperado que se riera...

—Te recogeré mañana a las siete. Cierra la puerta con pestillo cuando me haya marchado.

Se marchó. Era imposible saber qué le rondaba por la cabeza y a ella le flaquearon tanto las rodillas que no pudo moverse.

—¿Lo dices en serio? ¿Tu familia no sabe que hemos salido?

April miró a Patrick con un brillo de malicia en los ojos. Estaban en un pequeño restaurante de Salisbury y, aunque habían decidido que no se arreglarían, ella se había recogido el pelo y se había maquillado un poco, lo justo para que la boca le pareciese más delicada y los ojos más grandes todavía.

—Ya los conociste —contestó él llevándose el vaso de cerveza a la boca—. ¿Se lo contarías tú?

—Tienes cierta razón...

Él pensó que, evidentemente, eso no llevaría a ninguna parte, pero que algunas veces era preferible seguirle el juego al otro hasta que se daba cuenta de que llevar a cabo una idea disparatada no hacía que dejase de ser disparatada.

La verdad era que le había sorprendido bastante lo cómodamente que habían charlado por el camino hasta allí gracias a las preguntas de April sobre su familia y Lili. Algo de lo que podía hablar sin tener que pensar demasiado.

Naturalmente, nadie le había dicho que la llevara a un restaurante con manteles, velas y menús sin fotos. Podría haberla llevado a Emerson's, como había propuesto ella, podría haberla llamado con la bocina delante de la posada y haber dejado que se montara sola en la camioneta en vez de ayudarla, podría haber contestado a sus preguntas con monosílabos... No era un grosero, pero había muchas maneras de ahuyentar a una mujer.

—Entonces, ¿quién está cuidando a Lilianna?

—Una estudiante que vive debajo de nosotros. Lili y ella se llevan de maravilla.

—No te preocupes, mis primas tampoco lo saben.

April dio un sorbo de vino blanco y miró la copa mientras la dejaba, como si no se fiase.

—¿Te gusta el vino?

—Sí, claro... —ella sonrió débilmente—. Aunque no bebo mucho, por principio.

—¿Ni siquiera en la universidad?

—No fui a la universidad. No tenía ni tiempo ni dinero. También tuve que trabajar mientras iba al instituto —añadió ella encogiéndose de hombros.

Ella había vuelto a constatar un hecho sin jugar la baza de la compasión, dándole a entender que no había sido tan grave. Entonces, se rodeó un dedo con un mechón de pelo como si se arrepintiera. Era muy atractivo y desasosegante que fuese atrevida en un momento dado y tímida al minuto siguiente. Pero eso que le atenazaba las entrañas no era afán protector...

—Eh...

Ella lo miró a los ojos.

—¿Estás nerviosa?

—Sí —contestó ella riéndose un poco—. Ha sido... —apretó los labios con timidez otra vez—. Nunca he salido mucho... tampoco.

—¿Antes de conocer a tu marido?

—No, nunca.

—Aquí está —la alegre camarera dejó un cóctel de gambas delante de April y unas ostras para él—. ¿Queréis algo más?

—No, gracias —contestó Patrick casi con brusquedad—. ¿Tu marido y tú no... salisteis?

Ella negó con la cabeza mientras pinchaba una gamba.

—Clayton y yo... —ella se aclaró la garganta—. Por eso puede decirse que no tengo experiencia, no tengo ni idea de cuál es la conversación adecuada para una primera cita.

—Pues pon tus propias reglas. Digamos lo que nos apetezca decir.

—Por mí... —ella se comió otra gamba—. Siempre que no me dejes abandonada...

—No. Llamaré a tu prima cuando vaya al cuarto de baño.

Ella se rio y él se sintió mejor. Tan bien que se enojó, lo cual no tenía sentido.

—Clayton y yo...

El estruendo hizo que él se levantara de un salto con el corazón desbocado. Desorientado, se agarró al respaldo intentando tomar una decisión.

—¡Patrick!

Él se dio la vuelta y la agarró del brazo.

—¿Estás bien?

Ella sonrió aunque estaba perpleja.

—Sí... Tú también... Se han caído unos platos en la cocina, nada más.

Patrick se estremeció y volvió a la realidad. Tragó saliva y volvió a sentarse.

—Todo el mundo está mirándome.

—Da igual.

Estaba temblando tanto que parecería que tenía un delírium trémens. Se pasó una mano por la cara y se bebió medio vaso de agua.

—Platos... —repitió él como si fuese tonto.

—Sí, platos. Mírame —él la miró—. ¿Quieres que nos quedemos o que nos vayamos?

—No... no lo sé. Que nos vayamos, creo. Lo siento...

—Son cosas que pasan —April llamó a la camarera—. Y guárdate eso.

—No voy a dejar que pagues.

Él se alegró al comprobar que la mano le había dejado de temblar al sacar la tarjeta de crédito y que su firma le había salido clara cuando firmó el papel unos minutos más tarde, pero, sobre todo, se alegró cuando salieron y sintió la brisa fría y húmeda.

—¿Puedes conducir? —le preguntó ella cuando llegaron a la camioneta—. ¿O prefieres que lo haga yo?

—No, estoy bien.

—¿Seguro?

—¡Sí! ¡Estoy bien, April!

Sin embargo, no lo estaba y, probablemente, no lo estaría nunca del todo. Furioso e impotente, se volvió hacia ella.

—¿Temes que pierda el control si pinchamos una rueda y que nos matemos?

—¿Con cuánta frecuencia te pasa? —preguntó ella con una delicadeza dolorosa.

—No tanto como antes, como cuando... salí —había pasado más de un año dese el último episodio—, pero, evidentemente, sigue siendo un problema.

—¿Te preocupa cuando estás con Lili?

—Me obligo a no pensar en ello —contestó él al sentir un miedo gélido.

—Entonces, oblígate a no pensar en ello ahora o déjame conducir, pero date prisa porque estoy congelándome —añadió ella metiéndose las manos en los bolsillos del abrigo.

La ayudó a montarse en la camioneta, la rodeó y se montó también. Efectivamente, había querido que ella comprobara que eso no llevaba a ninguna parte, pero no así.

Ninguno dijo nada mientras volvían a la posada. Aunque se alegró de que ya no estuviera furioso y abochornado cuando se montaron en la camioneta, no creía que estuviese de humor para charlar tranquilamente. Además, tampoco creía que fuese el momento de retomar la conversación sobre su matrimonio y, desde luego, no había pensado contarle todo. Sus primas parecían convencidas de que la palabra «virgen» hacía que los hombres salieran despavoridos. Sin embargo, ese era el meollo de la cuestión. Aunque también tenía que reconocer que no era muy inteligente sacarlo a colación en la primera cita... y, probablemente, la última. Creía firmemente que Patrick había aceptado salir para poder quitarse de encima a todo el mundo, entre otros, a ella. La próxima vez que alguien le hablara del asunto, él podría decir que habían salido y que no había cuajado. Aun así, había estado encantador, quizá un poco demasiado encantador para alguien que le había dejado ver la bestia que llevaba dentro. En ese momento, ya sabía por qué intentaba mantenerla encadenada.

Lo miró. La piel quemada tenía peor aspecto en la penumbra de la camioneta. Cuando bromeó diciéndole que olía mejor que ella, él reconoció que era la crema hidratante que tenía que ponerse todos los días y que no había encontrado ninguna sin perfume. Pobre... Sin embargo, hacía todo lo que podía para dominar esa experiencia que enturbiaba sus pensamientos.

—Lo siento —dijo él de repente—. Supongo que no estoy acostumbrado a ir en el coche con alguien que espera que yo hable.

—No importa, estaba pensando en mis cosas.

—¿En qué?

—En ti.

—No creo que merezca la pena usar el cerebro en eso.

—¿Quieres que te dé un bolsazo? Te advierto que llevo muchas cosas dentro.

Le pareció que él había sonreído... o algo parecido.

—Deberías analizarte esos arrebatos de violencia antes de que le hagas daño a alguien.

—No te preocupes —replicó ella riéndose—. Aunque, hubo un tiempo, cuando mis primas y yo éramos pequeñas, que siempre estábamos pegándonos, seguimos haciéndolo, aunque era en broma y no nos hacíamos daño. Sin embargo, un día estábamos tomando el sol en el embarcadero que hay detrás de la casa y Mel dijo algo que Blythe se tomó a mal. No recuerdo por qué, pero acabé metida en la trifulca y nos olvidamos de lo cerca que estábamos del borde del embarcadero. Blythe era más grande que Mel y yo, claro. Entonces, empujó a Mel, quien cayó sobre mí y yo me agarré a Blythe. Las tres caímos al agua. Lo pasábamos muy bien.

Patrick se rio por fin.

—Estáis muy unidas...

—Sí. Más como hermanas que como primas. La tres somos hijas únicas. También nos incordiábamos como hermanas, pero solo estábamos juntas durante el verano... y hasta eso terminó cuando fuimos al instituto.

—¿Perdisteis el contacto?

—Sí. Es raro, ¿verdad? Bueno, quizá no tanto. Blythe fue a la universidad, claro, y Mel tuvo una hija, Quinn. La conociste en la cena de la otra noche.

—Sí. Espera... ¿por eso se alejaron Mel y su madre?

—Al parecer, pero dada la tendencia de nuestra familia a guardar secretos... Aun así, no me había dado cuenta de lo mucho que las había echado de menos hasta que la casa nos unió otra vez.

—Me lo imagino.

Pasó un buen rato hasta que April reunió al valor necesario para...

—Yo me imagino que tu familia te habrá ayudado mucho para que te recuperes.

—Sí. También me marean cada dos por tres, pero sé que no habría salido adelante sin ellos.

—¿Has tenido... otro tipo de ayuda? Terapias o algo así...

Silencio.

—Lo siento. No hace falta que contestes.

—Estuve un tiempo con médicos, pero me parecía que adormecían las cosas en vez de afrontarlas. Los abandoné y empecé con una psicoterapia para soltar todo lo que tengo en el cerebro. Estoy mejorando. Como has dicho, mi familia, el trabajo, Lili... todo ayuda.

—Estoy segura.

—Asustarte no entraba en el plan.

—¿Te refieres a esta noche?

—Bien dicho... Sin embargo, no pude dominarlo.

—Lo entiendo, pero no me asusté, ni entonces ni ahora. Me preocupé, pero no por mí, sino por ti. No me asusto fácilmente.

—¿De verdad?

—Sí, de verdad.

—Lo dice la mujer que estaba nerviosa como un flan por una cita...

Ella lo miró y vio una sonrisa que le hizo pensar que quizá estuviese más tranquilo.

—Estar nerviosa no es lo mismo que asustada. Me pongo nerviosa por muchas cosas, pero, normalmente, por mi forma de ser. Si quiero que algo salga bien, como la posada, por ejemplo, me preocupo todo el rato, pero hay muy pocas cosas que me asusten de verdad.

—Excepto mi cara —replicó él entre risas.

—Eso me impresionó, no me asustó.

—¿Nadie te ha dicho que estás loca? —le preguntó él riéndose otra vez.

—Mi madre. Me lo dice en cuanto puede. Sobre todo, por la posada. No es muy partidaria.

—Entonces, es ella la que está loca. Lo siento —añadió él cuando ella se rio—, pero es verdad. Por lo poco que he visto, me pareces... muy resuelta. Estoy seguro de que lo conseguirás, April.

Atónita por su inesperado respaldo, miró hacia delante y parpadeó.

—Gracias.

—De nada —replicó él un poco cohibido.

—No mires ahora, pero estás manteniendo muy bien una conversación. ¿Y con Lili? ¿No habláis cuando estáis juntos?

—Lili habla por los dos. Yo solo tengo que asentir de vez en cuando. Es la ventaja de que tenga cuatro años, se contenta con cualquier cosa —contestó él con melancolía.

—Eres un buen padre.

—No me conoces lo suficiente para decir eso.

—Lo dice el hombre que está convencido de que sacaré adelante la posada...

—Hago lo que puedo —Patrick dejó escapar un suspiro—, pero no sé si eso es suficiente.

—La quieres y eso sí es suficiente.

—¿De verdad? —preguntó él sin dejar de mirar la carretera—. ¿El amor en sí mismo es suficiente?

¡Ese hombre era lamentable! Había circunstancias atenuantes, claro, algunas personas podrían decir que tenía motivos para tener lástima de sí mismo, pero estaba segura de que su familia no lo hacía y ella tampoco lo haría.

—Supongo que depende de las personas implicadas —murmuró ella.

—Efectivamente. Depende de las personas implicadas.

Llegaron al camino de entrada de la posada cuando empezó a caer aguanieve.

—Ha sido una cita desastrosa, ¿verdad? —le preguntó Patrick.

—Ha sido distinta, te lo concedo, pero desastrosa...

—¡Por todos los santos, April! —Patrick paró la camioneta y la miró a los ojos—. ¿Por qué no puedes ser como las demás mujeres? Tenemos que largarnos antes de acabar el primer plato y de que puedas contarme lo que ibas a contarme… Sí me acuerdo. Luego, no te hablo durante casi todo el camino de vuelta y tú te comportas como... ¡como si no te importara!

—¡No me importa! —replicó ella—. Aunque, ahora que lo dices, estoy hambrienta.

Él se quedó mirándola fijamente antes de volver a mirar por el parabrisas.

—Esto no tiene sentido.

—¿Que esté hambrienta...?

—No —contestó él con un suspiro.

April recogió el bolso del suelo de la camioneta y se lo puso en el regazo.

—¿Preferirías que me quejara y lloriqueara?

—¡Sí!

Ella se mordió el labio inferior y volvió a mirarlo.

—Además, ¿crees que no tengo sentido?

—He dicho que esto no tiene sentido.

—¿Esto? —preguntó ella ladeando la cabeza con el ceño fruncido.

Él la miró a los ojos. Entendió lo que era «esto», pero ella, no. Le acarició la mejilla y ella contuvo el aliento antes de que la besara. Su lengua la incitó de tal manera que todo quedó claro y borroso a la vez. Entonces, se apartó sin dejar de mirarla, con la mano en la mejilla y una expresión de preguntarse qué había hecho.

—Si todo hubiese salido como lo había planeado, en este momento te habría despedido, habría dicho que lo había pasado bien y que ya te llamaría. Luego, me habría marchado sin intención de volver a llamarte nunca más.

—¿Con el beso o sin el beso?

—Sin ese beso.

—Captado, pero tú no harías algo así.

—¿Como qué...? —preguntó él con el ceño fruncido.

—Decirme que me llamarías si no ibas a hacerlo. No eres así, Patrick Shaughnessy.

Él dejó escapar una risa ronca y breve apoyando la cabeza en el reposacabezas.

—Vas a matarme.

—Será sin querer...

Él volvió a reírse, pero fue una risa tan triste que a April se le empañaron los ojos con lágrimas.

—No, está noche no ha salido como había planeado en ningún sentido, pero, asombrosamente, en otro sentido ha salido mejor... o habría salido si fueses una mujer normal.

—Quejica y llorona...

—Una mujer que no seguiría aquí sentada después de lo que ha pasado, alguien que se habría bajado de la camioneta antes de que hubiese parado —él dio un golpe en el volante—. ¡No lo quiero, April! No quiero que entres en mi cabeza y veas el embrollo que hay dentro. No quiero...

Él se detuvo y ella casi pudo oírle pensar que no quería que le partieran el corazón otra vez.

Ella agarró la correa del bolso y se pensó si le hacía caso, si se bajaba de la camioneta, volvía a su casa vacía y nunca más incordiaba a ese hombre. Sería lo más inteligente y lo más fácil, pero no era lo que tenía que hacer. Sobre todo, cuando su madre le había dicho que necesitaba ayuda aunque él pensara que no. Además, en el fondo, también sabía que se necesitaban el uno al otro.

—Eso qué significa, ¿que llamarás o no?

—¿Eso significa que la noche ha terminado? —preguntó él mirándola fijamente.

—¿No tienes que volver con Lili? —preguntó ella con el pulso acelerado.

—No, hasta las once —contestó él con una sonrisa muy leve.

—Entonces —ella volvió a dejar el bolso en el suelo de la camioneta—, no sé tú, pero yo daría cualquier cosa por una hamburguesa. Luego, no me importaría que me dieras algunos besos más como ese... si estás dispuesto, claro.

Patrick empezó a reírse como ella no le había visto reírse nunca.

—Sí, estoy dispuesto.

Capítulo 7

VEINTE minutos después, la camioneta olía a patatas fritas y a hamburguesas mezcladas con el perfume de April. Volvían a casa de ella, quien, efectivamente, estaba hambrienta porque comía patatas a toda velocidad mientras oían música de los años setenta y la nieve caía suavemente.

—Hay otras emisoras...

—No, me gusta esta —contestó ella con los zapatos negros, planos y sexys en el salpicadero—. Hace que me sienta como una niña.

Siguió el ritmo con una patata frita y cantó el estribillo. Luego, le acercó la bolsa y la agitó hasta que él tomó una patata aunque no tenía hambre. Todavía tenía el estómago encogido por el beso. Él se lo había esperado tan poco como ella. Había sido un impulso egoísta y una necesidad primaria de tener contacto, de que todo dejara de dar vueltas, de sentirse otra vez como una persona normal. Ella debería haberse quedado espantada o, al menos, desconcertada, pero... se derritió como si hubiese estado esperándolo toda su vida y también lo besó... Además, le había pedido más...

April hizo una bola con la bolsa de patatas, la metió en la bolsa más grande y sorbió ruidosamente el batido con la paja, como si fuese una niña. Patrick se rio a regañadientes. En otra vida y otro mundo, podría enamorarse locamente de esa chiflada, pero en ese no podía.

—Parece como si nunca te hubieras tomado uno.

—Los tomo muy pocas veces, pero cuando los tomo los disfrutó al máximo. Quizá, porque, cuando era pequeña, la comida rápida era algo muy especial.

—¿Porque tus padres no te dejaban comerla?

—No, porque casi nunca podíamos permitírnosla. Mis arterias me lo agradecerán, pero...

—¿Pero...?

—Nada —contestó ella metiendo y sacando la paja.

—Si hay algo que me saca de quicio más que el que alguien no acabe una frase, es que me conteste «nada». Aparte de ese ruido que estás haciendo con la paja.

—Lo siento —ella dejó de meter y sacar la paja—. Es como si tuviera una doble personalidad o algo así. No en el sentido psicótico, pero una parte muy grande de mí es incapaz de mantener un secreto. Desgraciadamente, hay muchas cosas en mi pasado que incomodan a la gente o hacen que sientan lástima por mí. Aunque, si no siento lástima por mí misma, no sé por qué iban a sentirla los demás —lo miró a los ojos—. Sabes lo que quiero decir, ¿verdad?

—Sí, ¿y...?

—Tuve una infancia poco corriente. Aunque, claro, no me di cuenta hasta que fui adolescente. Mi padre era un soñador, y seguirá siéndolo, supongo. Siempre tenía una idea genial que le liberaría de tener que trabajar para otro, aunque casi nunca trabajó para otro. Mi madre, bendita sea, siempre se creía sus sueños. Ella era profesora y, mejor o peor, habríamos podido salir adelante con su sueldo de no haber sido por las «inversiones» de mi padre.

—¿Nunca se plantó?

—Tenía arranques de furia y mi padre prometía que encontraría un empleo de verdad, que le duraba un año como mucho, hasta que tenía otra idea y el ciclo empezaba otra vez.

—¿Tus padres... siguen juntos?

—Sí, son inseparables. Mi padre estuvo muy enfermo hace unos años. Ya está mejor, pero eso puso freno a sus ambiciones, hasta ahora... En resumen, sé lo que es ser pobre y ahora valoro mucho más lo que tengo.

—Supongo que por eso no tienes lástima de ti misma.

—¿Porque ya no soy pobre? —ella dio otro sorbo con la paja—. Tengo dinero, aunque me cueste considerarlo mío, pero eso no es lo que me da confianza. Lo que me da confianza es saber que siempre tendré alternativas, que ahora soy más dueña de mi destino que lo que podía haberme imaginado de niña.

—¿Lo crees de verdad?

—No quiero decir que crea que puedo dominar mi futuro —ella se rio—, pero sí puedo decidir, en cierta medida, claro. Cuando se me presentan distintas alternativas, yo y solo yo elijo la que más me conviene. Si no sale bien... —ella se encogió de hombros—. Siempre hay algo más esperando aunque en ese momento no pueda verlo.

La nevada arreció y Patrick agarró el volante con fuerza.

—Vaya...

—No quería ponerme tan seria —ella se rio—, pero, efectivamente, cuando me di cuenta, yo también dije vaya. No tenía que esperar a lo que me deparara el destino.

—¿Como tu madre?

—Bueno, como mi madre era la que se ganaba la vida, habría podido dejar a mi padre cuando hubiese querido, pero decidió quedarse.

—¿Por qué?

—¿Porque lo amaba? ¿Porque prefería un hombre que tenía sueños a otro que se adaptaba a lo convencional? ¿Quién lo sabe? En cualquier caso, eso fue lo que decidió. No sé qué habría hecho yo si hubiese sido ella.

—Lo que quieres decir es que no estamos atrapados por nuestras circunstancias.

—Solo si creemos que lo estamos. Por ejemplo, mira hasta dónde has llegado.

—Hasta aquí —replicó él aparcando delante de la casa—. Otra vez.

—Vaya... Ya... Mmm... ¿Quieres entrar?

—Está nevando cada vez más. Creo que debería volver.

—Es verdad —April agarró su bolso, el batido y la bolsa con su hamburguesa—. Pero...

—Sigues esperando otro beso... —dijo él con un suspiro.

—No es una obligación...

Él captó el tono burlón y provocador. La elección

de ella era querer que la besara. Por algún motivo, lo había elegido a él. Esa chica impresionante, dulce y divertida lo había elegido a él. Si supiera qué hacer con eso... Sin embargo, por el momento, le debía un beso. Se inclinó y la besó en la boca, que sabía a chocolate y patatas fritas, una boca que se abrió a él para que la conociera a fondo. El deseo le atenazó las entrañas aunque otro deseo, el de protegerla de él, le oprimía el pecho y no le dejaba respirar. Se apartó con la sensación de haber cerrado la caja de Pandora justo a tiempo... Hasta que ella lo agarró de la chaqueta con la mano que le quedaba libre, lo atrajo hacia sí entre risas y lo besó en la boca. La caja se abrió de par en par y dejó salir todo lo que había guardado durante demasiado tiempo, lo que se había negado a pensar, cosas como la pasión, la cercanía, el contacto, el placer de estar con alguien que quería estar con él.

Esa vez fue ella quien se apartó con la mano en el pecho de él, donde podría notar los latidos desbocados de su corazón.

—Vuelve a casa con tu hija —susurró April antes de darle un beso en la mejilla cicatrizada—. Yo no voy a ninguna parte.

Él esperó a que entrara y a que el corazón se le serenara un poco. «Yo no voy a ninguna parte...».

Veinte minutos más tarde, después de haber pagado a Shelley y de haber comprobado que Lili estaba bien, las palabras de April seguían dándole vueltas en la cabeza. ¿Era una promesa, un desafío o las dos cosas? Se quedó unos segundos mirando a Lili, convencido de que era lo único que tendría siempre. Su familia y su trabajo eran importantes, claro, pero Lili... Todo lo que había hecho había sido por ella. Sin embargo, ella se marcharía para vivir su vida, para tomar sus decisiones, y aunque esperaba formar siempre parte de su vida, ya no sería el centro. ¿Entonces...?

Fue a la cocina, donde había dejado la bolsa con la hamburguesa y las patatas fritas. La abrió e hizo una mueca de disgusto. Unas patatas y una hamburguesa frías eran muy poco apetecibles. Evidentemente, esa noche no iba a cenar... ni a tener tranquilidad. Tiró la bolsa a la basura y fue a la ventana de su diminuta sala. La calle resplandecía por la nieve recién caída. April le gustaba mucho. Le gustaba estar con ella, que le hiciera reír y que no tolerara todas las sandeces de él. Además, no le importaría nada hacer el amor con ella. Contuvo el aliento, estaba planteándose algo que creía implanteable desde que Natalie lo dejó. Al menos, con una mujer como April.

Sin embargo, no sería fácil. De vuelta a casa había atado cabos y no era una casualidad que eso hubiese sucedido cuando había tenido la primera cita desde hacía mucho tiempo. También había tenido el primer ataque desde hacía casi el mismo tiempo. Le daba miedo que, si intentaba avanzar, quizá lo que hiciera fuese retroceder. ¿Cómo podía correr ese riesgo cuando podía estar en juego la seguridad de Lili? April había sido encantadora y había dicho que no iría a ninguna parte. Lo creía, sobre todo, si se parecía algo a su madre. Sin embargo, ¿qué pasaría si volvía a tener ataques periódicamente? ¿Lo soportaría ella? ¿Soportaría él que el brillo desapareciese de sus ojos cuando se diera cuenta de dónde se había metido? Aun así...

Tampoco era una casualidad que todos los avances que había hecho fuesen porque había corrido algún riesgo. Quizá esa noche no hubiese recaído, sino que hubiese crecido, que hubiese tenido la ocasión de vivir la vida tan plenamente como antes. April estaba dándole una alternativa, ¿no? Tenía que decidir si aprovechaba esa ocasión o no.

Había llamado. El lunes después de Acción de Gracias, April miraba por uno de los ventanales de la sala y sonreía como una adolescente mientras veía a Patrick y a su cuadrilla que arreglaban el jardín. Había llamado y la conversación había sido corta y clara. Estaba dispuesto a dar otro paso, pero no podía ver más allá. Ella le dijo que le parecía bien. Que él hubiese llegado tan lejos era impresionante aunque todavía no se diese cuenta. También le dijo que Lili iba a quedarse esa noche con su hermana y los hijos de ella y le preguntó si le apetecía hacer algo.

El pulso se le había alterado mientras pensaba qué ropa interior ponerse porque sabía cómo acabaría la noche, algo que le ponía la carne de gallina en unos sitios muy interesantes. Sobre todo, cuando salió a saludarlos y él la miró a los ojos. Creyó que iba a derretirse.

Naturalmente, como Patrick no había sido nada discreto al comérsela con los ojos, toda su cuadrilla lo sabía, entre otros, sus hermanos mayores.

—Como sigas mirando así a ese pobre hombre, vas a achicharrarlo, lo cual, lo estropearía todo —comentó Blythe con los brazos llenos de guirnaldas de pino para el pasamanos.

—¿Dónde dejo esto? —preguntó Mel con una caja de cartón en las manos.

—Donde quieras, son para el árbol —contestó Blythe mientras Mel dejaba la caja en el suelo—. Veo que el hombre de hielo te mira con la misma pasión que tú a él... ¡Mira, Mel! ¡April está ruborizándose!

—O tiene una fiebre espantosa. ¿Qué está pasando?

—Patrick y yo... salimos la noche siguiente a Acción de Gracias.

—¡No! —Mel se dejó caer en una butaca—. ¿Por qué no lo sabía?

—Porque estabas conmigo de compras —contestó Blythe.

—Es verdad, se me había olvidado. ¿Qué pasó? —le preguntó Mel con una sonrisa maliciosa.

—A lo mejor no es asunto tuyo... —April se arrodilló y sacó unos adornos de la caja—. Son preciosos, Blythe...

—No cambies de conversación. Yo te conté mi primera vez —dijo su prima mayor.

—Tenías quince años y entonces solo querías escandalizarnos a Mel y a mí.

—Tiene cierta razón —confirmó Mel.

—Además... esto no fue lo mismo —siguió April.

—¿Quiere decir que sigues...?

—¿Ponemos el árbol al lado de la ventana o a la entrada, junto a la escalera?

—¡April! ¡Por lo que más quieras!

Ella creía que, dada su relación, no era justo del todo que no contara nada y acabó contándoles resumidamente esa noche, sin mencionar nada sobre el ataque de pánico de Patrick, pero se sintió como si hubiese ocurrido hacía doce años. No era ni una niña ni inocente después de la infancia que había tenido, los trabajos que había hecho y los cuatro años que había vivido con Clayton y su madre... salvo en esa cosa concreta.

—Entonces, volvimos a casa y... bueno...

—¿Quieres matarme? —le preguntó Blythe con impaciencia.

—Bueno, me besó.

—Mmm, prometedor... ¿Y luego?

—Volvió a besarme o lo besé yo, no me acuerdo.

Mel y Blythe se miraron y Mel se rio.

—¿De verdad no te acuerdas?

—¿Qué importa?

—Eres muy rara —aseguró Blythe sacudiendo la cabeza—. ¿Pasó algo más? ¿Te metió mano? Quiero decir...

—¡Sé lo que quieres decir! Pero no, yo tenía una bolsa y muchas cosas en el regazo —las dos primas volvieron a mirarse y suspiraron—. Aunque fueron unos besos muy ardientes. Al menos, para mí. Cuando terminamos, él tenía los ojos...

—¿Acuosos?

—Sí.

Las primas se chocaron los cinco aunque Mel sacudió la cabeza.

—Sigo sin poder creerme... ¿Nunca te... excitó algún chico del instituto?

—¿Creéis que no os lo habría dicho? Entonces, quiero decir.

—Por favor, dime que al menos te han besado —le pidió Blythe con el horror reflejado en los ojos.

—Sí, me han besado —confirmó ella entre risas.

Sin embargo, entre la precocidad de Blythe y el hijo que tuvo Mel a los diecisiete años, algunas veces se preguntaba cómo era posible que tuviera alguna relación con esas mujeres.

—Sin embargo, no se trata de entonces, se trata de ahora y... vamos a salir otra vez esta noche.

Seguía en la moqueta, junto a la caja, y sus primas se sentaron al lado de ella.

—Te preocupa hacer el ridículo —comentó Blythe pasándole un brazo por los hombros.

—Algo así. Que le decepcione —replicó April señalándose los pechos—. No son muy...

—No te preocupes —le interrumpió Mel entre risas—. Te aseguro que solo sabrá que los tienes.

—Eso es verdad. ¿Tienes preservativos? —le preguntó Blythe.

—Sí, los compré ayer —reconoció ella sonrojándose—. Aun así, creo que... debería avisarle.

—¡Ni se te ocurra! —exclamó Mel sacudiendo la cabeza.

—Acabará descubriéndolo y prefiero que piense que era inexperta a... insulsa.

—¿Por qué no improvisas? —Mel le puso una mano en la rodilla—. Si te parece que tienes que decir algo, dilo.

—¡Entonces no llegará a nada! —exclamó Blythe.

—Es posible que tenga que seguir su intuición.

—¡Hombres! Si antes no estaba nerviosa, ¡ya lo estoy!

April se levantó para mirar por la ventana otra vez y los ojos se le empañaron de lágrimas cuando notó cuatro brazos que la abrazaban.

—No quiero quedarme con la tía Frannie, quiero quedarme contigo.

Quiso morirse... y eso fue antes de mirar esos ojos grandes, marrones y llorosos. ¿Una vida propia? ¿Sexo? ¿En qué planeta? Patrick le había dado tantas vueltas que ya no sabía lo que estaba bien y lo que no. No sabía si eso de «aprovechar la ocasión» solo se debía a que estaba muy excitado y si era justo. Había llegado al punto de que le parecía bien darle rienda suelta a la libido y de permitirse fantasear con lo que podía pasar esa noche, cuando la cruda realidad lo alcanzó entre ojo y ojo. Su vida no era propia y no lo sería durante bastante tiempo.

—Vete.

Su hermana tomó a Lili en brazos y lo miró tajantemente.

—Pero...

—Ya. Ella sobrevivirá y nosotros sobreviviremos. Además, aunque no te lo creas, tú también sobrevivirás. Dale un abrazo a papá, cariño, y mañana por la mañana vendrá a recogerte.

Lili soltó un alarido como la sirena de un barco y su llanto le partió el corazón mientras la abrazaba antes de darse la vuelta y bajar los escalones del porche de su hermana entre las llamadas desconsoladas de su hija. Llegó a la camioneta y se quedó sentado sintiéndose un desalmado hasta que su cuñado dio un golpecito en la ventanilla del acompañante. Neil Solowicz, corpulento y afable a más no poder, era de esos tipos a los que nada parecía alterarles, ni la mandona de su hermana ni sus cuatro hijos, nada.

—Frannie tiene razón. Se sobrepondrá.

—Es que va a peor. Cada vez que se queda aquí... Es como si lo supiera.

Su cuñado se rio, abrió la puerta y se sentó a su lado.

—Ya... Los niños tienen un sexto sentido para esas cosas. Esos mocosos pueden llevar horas dormidos, pero basta que cierres con pestillo la puerta del dormitorio para que alguno llame a la puerta para saber qué estamos haciendo.

—Neil, por favor...

—Tenemos cuatro hijos. Sabes cómo los hemos tenido y que tu hermana me gusta.

Patrick sonrió y suspiró.

—¿Qué hacéis cuando llaman a la puerta?

—Les damos agua, los mandamos a la cama y lo retomamos dónde lo habíamos dejado.

—¿De verdad?

—Bueno, algunas noches salen mejor que otras, pero sí.

—Pero ¿cómo los separas de... eso? En la cabeza, quiero decir.

—No lo sé, lo hago... o no. Cuando estoy con los chicos, no siempre puedo dejar de pensar en estar con tu hermana, pero cuando Frannie y yo estamos... solos, te aseguro que no estoy pensando en los chicos. ¿No te diste cuenta cuando seguías con Natalie?

—Evidentemente, no, porque no sigo con Natalie.

—Es verdad. No soy un especialista en esto, pero teniendo en cuenta que tu hermana y yo seguimos muy unidos después de trece años y todos esos hijos, te diré algo. Tu hija es lo primero y por eso eres un buen padre. Sin embargo, si Lili te crea remordimientos por hacer algo que te apetece, estás perdido. No permitas que te convierta en su rehén ni la uses de excusa.

—¿Para qué?

—Lo sabes muy bien. Todo lo que llevas dentro te pide a gritos que te eches atrás, ¿verdad?

—Todo, no, pero casi todo —reconoció Patrick resoplando.

Neil le dio unas palmadas en la rodilla. Era diez años mayor que Patrick y llevaba con su hermana desde que eran muy jóvenes. Algunas veces, era más hermano que sus propios hermanos y no le incordiaba tanto.

—Cuando estuvimos en la posada, durante Acción de Gracias, me fijé en que te miraba como si fueses...

un rompecabezas que iba a resolver aunque le costara la vida.

—¿Y si lo hace? —farfulló Patrick.

—Tú me contaste que la habías encontrado arrastrando una rama de cinco metros por el jardín. Algo me dice que tienes que hacer algo. Como te ha dicho Frannie... —Neil abrió la puerta y se bajó de la camioneta— vete y diviértete. Podría estar muy bien, Pat, no lo compliques. Además, te prometemos que te devolveremos a tu hija casi como la recibimos.

Neil cerró la puerta y se despidió con la mano. Patrick se alejó hecho un mar de dudas.

Cuando abrió la puerta, casi se cayó de espaldas por la indecisión evidente de él. A pesar de su desproporcionado aprovisionamiento de preservativos de todos los tamaños y colores, no iba a arrastrarlo a la cama en ese instante. Incluso, a juzgar por su expresión, lo mejor sería que lo llevara al comedor. April esbozó una sonrisa sin querer reconocer la decepción... o el alivio.

—Pasa...

Ella captó un leve olor a tierra mojada en la chaqueta de lana marrón que llevaba sobre una camisa de pana beis y unos vaqueros más nuevos. Había hecho un esfuerzo e intentó imaginárselo con un traje, pero no lo consiguió.

—¿Tienes hambre? —le preguntó mientras se dirigía hacia el comedor, donde les esperaban una serie de platos—. Mel ha estado cocinando casi todo el día porque queremos abrir la semana que viene y esta noche seremos los conejillos de Indias.

—¿Vamos a quedarnos aquí?

—Sería una pena desperdiciar toda esta comida —contestó ella con naturalidad aunque notó la tensión de él—. Patrick...

—¿Qué?

—Si no quieres estar aquí, márchate, por favor.

—No, no... —él sonrió tan fugazmente que ella casi ni lo vio—. Me quedo.

—¿Estás seguro?

Él contuvo la respiración durante unos segundos y la soltó con una expresión de que lo haría aunque le fuera la vida en ello. Entonces, se acercó a ella con los ojos clavados en su boca y se olvidó de todo lo que iba a decir. Esa mirada... ¡Santo cielo! No tenía nada de indecisa.

Aunque estaba segura de que durante esos dos días, él había estado a punto de echarse atrás más de una vez. Sin embargo, el corazón de ella latía de forma disparatada y palpitaba en sitios donde no lo había hecho nunca. Él introdujo las manos todavía frías entre su pelo, bajó la cabeza y la besó. Ella se derritió, vibró por dentro y pensó, con lágrimas en los ojos, que quería hacer que ese hombre fuese feliz. Quería conseguir que sonriera, que se riera, que se comportara como un chiflado. Quería borrar las dudas de sus ojos y ser la persona en la que él podría confiar siempre. Si, además, él le hacía feliz a ella, perfecto.

Sin embargo, en ese momento sabía que solo se trataba de eso y que eso también era perfecto, que había que empezar por algo. La arrinconó contra el marco de la puerta y la levantó. Ella, instintivamente, le rodeó la cintura con las piernas, el cuello con los brazos y lo besó entre ronroneos de placer cuando las lenguas se encontraron, al sentir los pechos contra él, al sentirlo contra ella... Los besos pasaron de ser delicados a ser ardientes y delicados otra vez. Era muy fácil dejarse llevar por él y esa noche aprendería muy deprisa.

Patrick, sin soltarla, se apartó un poco y dejó escapar una risa nerviosa.

—Espero que Mel no esté aquí...

—¿Lo dices ahora? —replicó ella riéndose.

—Me he excitado...

—Ya me he dado cuenta.

—¿Puede esperar la comida?

—¿Y si contestara que no?

Volvió a besarla y la puso de tal forma que pudo notar lo excitado que estaba. No tenía ninguna experiencia sobre excitaciones, pero sí había leído suficientes novelas románticas.

—Pero no vas a decirlo, ¿verdad? —susurró él con la voz ronca.

—Creo que no.

Lo miró y volvió a notar las lágrimas al ver su sonrisa, la sonrisa amplia de un hombre dispuesto a disfrutar el momento. Tomó aliento.

—Mmm...

—No pasa nada, he traído... protección —dijo Patrick.

La dejó en el suelo, pero para tomarla en brazos y llevarla por la sala y las demás habitaciones hasta su dormitorio, donde se quedó parado nada más entrar.

—Has abierto la cama... —comentó él con ella en brazos.

Ella había dejado encendida la lámpara de una mesilla para poder ver algo si las cosas salían según lo previsto.

—Bueno... Por si acaso...

La dejó en el suelo por fin. ¿Qué hacía? ¿Debería sentarse en la cama y poner alguna postura provocativa? ¿Debería empezar a desvestirse o a desvestirlo a él? ¿Esperaba a que él diera el primer paso? ¿Encendía las velas? Entonces, él sacó algo del bolsillo, se acercó a la mesilla y dejó... ¡varios envoltorios! Luego, apagó la luz. Ella dejó escapar unas risitas como si tuviera catorce años. Eso se ponía cada vez mejor.

—¿No deberíamos encender las velas antes?

—Nada de velas.

Ella fue adaptándose lentamente a la tenue luz que entraba por la ventana y a lo que él decía.

—¿Quieres hacerlo a oscuras? ¡Oh...!

Él había empezado a desabotonarle la chaqueta.

—Si no te importa.

Ella estuvo a punto de decirle que sí le importaba, que siempre había pensado que cuando por fin tuviera una relación sexual podría ver con quién estaba teniéndola. Por otro lado, él tampoco podría verla o, para ser más exactos, no podría ver su cara de no saber lo que estaba haciendo.

—En absoluto —contestó ella.

Entonces, cayó en la cuenta de por qué quería hacerlo a oscuras y se le encogió el corazón... como otras partes del cuerpo cuando él, una vez desabotonada la chaqueta, se arrodilló y le besó lentamente el ombligo, justo encima de la cinturilla de los vaqueros. Patrick se rio cuando ella contuvo la respiración.

—Ya sabes lo que dicen —susurró él entre besos—. Cuando falta uno de los sentidos, los demás se agudizan.

Ella le tomó la cara entre las manos y se la levantó, aunque no pudo ver casi su mirada burlona y algo perpleja.

—Eso también significa que puedo sentir todo lo que no veo.

—Es verdad, pero...

—Sshhh...

Se arrodilló delante de él y rezó para que no le temblaran las manos mientras le desabotonaba la camisa. ¡Estaba desvistiendo a un hombre en su dormitorio!

—Puedo ver esto tan claramente como si lo iluminara un foco.

Le abrió la camisa y acarició una zona de piel cicatrizada.

—No es lo mismo —replicó Patrick en un tono algo tenso—. Te lo aseguro.

—Es posible, pero...

Ella se levantó, se quitó el sujetador y lo dejó caer al suelo. Los pezones se le endurecieron inmediatamente por el frío.

—Tú tampoco puedes verme. ¿No será un inconveniente?

Él la agarró de la mano, la bajó a su lado, le tomó un pecho con la mano y le pasó el pulgar por el pezón.

—No creo...

Él lo dijo en un tono sonriente que hizo que ella se entusiasmara, por no decir nada de lo que sentía por sus caricias. Estaría roja como un tomate, pero como no podía verla... Ella le acarició la piel cicatrizada, pero frunció el ceño cuando él se estremeció.

—¿Te hago daño? —preguntó ella apartando la mano.

—No —contestó él tomándole la mano y poniéndola otra vez donde estaba.

—Entonces, ¿por qué te has estremecido?

—¿Por qué crees? —contestó él riéndose.

Tenía mucho que aprender. Le besó el pecho y lo abrazó para inhalar su aroma, su fuerza, su valor y su bondad.

—¿Desde cuándo no te tocan? —preguntó ella en voz baja—. Así, me refiero.

—Desde hace demasiado. ¿A ti?

Ella también se estremeció. Las cosas iban muy bien y no hacía falta estropearlas diciéndoselo.

—Me parece como si no lo hubiesen hecho nunca —contestó ella para no mentir del todo.

Respiró aliviada cuando él se levantó, la levantó y la llevó a la cama. Entonces, se quitó toda la ropa en un abrir y cerrar de ojos y se la quitó a ella a la misma velocidad. Pensó que quizá no estuviese dispuesto a ir despacio después de tanto tiempo. Eso sí podía ser un inconveniente porque no sabía si podría seguirlo... o no sentir demasiado dolor. Tenía que decírselo.

Desnudos, la estrechó contra sí y fue una sensación tan increíble que podría haberse caído si no estuviesen tumbados. Entonces, empezó a hacerle cosas.

—¿Qué te gusta? —le preguntó él mientras la besaba y acariciaba por todos los lados a la vez.

—Lo que... estás haciendo... me... encanta...

¿Cómo...? ¿Realmente iba a...? Efectivamente. Además, ella iba a dejarle que lo hiciera. Arqueó las caderas y se dejó arrastrar por la boca de Patrick Shaughnessy, su boca cálida e impresionante, la boca que sonreía entre sus piernas. Siempre le había parecido que eso era un poco raro, un poco bochornoso. Sobre todo, hacer esos ruidos. Sin embargo, era... divertido. Cada vez era más divertido. Los gemidos se convirtieron en jadeos... y contuvo el aliento agarrándose a las sábanas para no salir volando. Entonces, ¡bam! ¡Vaya! Patrick se rio y ella se dio cuenta de que lo había dicho en voz alta. También se dio cuenta, cuando el cerebro empezó a funcionarle otra vez, que le tocaba a ella. Era lo justo, ¿no? Salvo que...

—No te sientas obligada a devolverme el favor —le susurró él al oído—. No lo he hecho por eso.

—¿No...?

—No —contestó él riéndose—. Quiero decir, si te apetece, perfecto, pero, si no, estoy seguro de que encontraremos otra manera de mantenernos ocupados. Aunque... puedes hacer lo que te plazca.

Empezó a acariciarlo, pero frunció un poco el ceño cuando se dio cuenta de todas las cicatrices que había, de lo mucho que tenía que haber sufrido durante mucho tiempo. Sin embargo, le tranquilizó saber que él pensaría que estaba acostumbrándose a su cuerpo y no al cuerpo de un hombre sin más. Era increíble lo deprisa que captaba sus señales; sus gemidos y suspiros de placer y los cambios en su respiración. Animada porque, después de todo, quizá pudiera salir airosa, le acarició sitios que solo había visto en algunas fotos y se quedó impresionada de lo natural que resultaba con la persona adecuada. Además, la cosa iba bien si el que la hubiese tumbado de espaldas era un indicio, por no decir nada de la dureza de cierta parte de su cuerpo que ya conocía muy bien. Aunque no tanto como estaba a punto de conocer, se dijo a sí misma intentando mantener la calma mientras él tomaba un preservativo de la mesilla. ¿Querría que se lo pusiera? Sin embargo, oyó que rasgaba el envoltorio y, acto seguido, se lo encontró entre las piernas. Instintivamente, otra vez, se abrió a él con un anhelo indescriptible de sentirlo dentro. Entró con una acometida inesperada y ella gritó. Él se retiró antes de que ella se hubiese dado cuenta de que había gritado.

Capítulo 8

PATRICK... lo siento.

Patrick se sentó en el borde de la cama con el estado de ánimo, entre otras cosas, decaído. Se había sentido mejor de lo que se había encontrado desde no sabía cuándo. Su risa, su respuesta desinhibida a sus caricias, que le hubiese hecho sentirse como si lo único que importara fuera lo que estaban haciendo en ese momento... Decir que nunca se había sentido así era decir muy poco. Hasta que gritó. Se quedó espantado, desconcertado, creyendo que había sido demasiado brusco en su avidez por complacerla, por complacerlos a los dos. Sin embargo, un segundo después, lo comprendió. No había sido él.

—Eres virgen... —dijo él en la oscuridad y en un tono de asombro tal que no era ni incredulidad.

—Lo era. Creo. En teoría...

—¿Cómo es posible? ¡Has estado casada!

—En teoría —repitió ella.

Se dio la vuelta y la miró. Estaba apoyada en el cabecero, mirando hacia la ventana y con la sábana tapándole los pechos. Dejó escapar un juramento para sus adentros. Se sentía como si le hubiesen golpeado con un bate de béisbol, pero, a posteriori, se dio cuenta de que había habido indicios. Que hubiera tenido que enseñarle dónde y cómo acariciarlo, cierto asombro en sus reacciones... Sin embargo, lo había atribuido a que era la primera vez que estaban juntos o a que había pasado mucho tiempo desde su marido.

Entonces, ella se secó la mejilla con el borde de la sábana y la tristeza se adueñó de él.

—¿Estás bien? —le preguntó tomándole la mano—. ¿Te he hecho daño?

—Me... sorprendió. Creía que estaba preparada. Quiero decir, quería... —ella cerró los ojos y volvió a abrirlos—. Debía de estar tensa. No ha sido culpa tuya —susurró ella entre sollozos—. Ha sido una tontería, debería haber seguido mi intuición y decírtelo, pero las chicas dijeron...

—¿Tus primas? —ella asintió con la cabeza—. ¿Qué dijeron? ¿Que era mejor no decírmelo?

—Sí. Dijeron que te alterarías.

—¿No estoy alterado ahora?

—No pareces alterado —contestó ella mirándolo por fin.

No. Él se había empeñado en hacerlo a oscuras. Si no lo hubiese hecho, podría haberse dado cuenta, por la expresión de su cara, de que algo no iba bien. No podía reprocharle que no hubiese sido completamente sincera. Cerró los ojos.

—Entonces, eso... que hicimos, fue...

—Qué puedo decir... Es una noche de primeras experiencias.

Él resopló, se levantó y buscó a tientas la caja de cerillas que había visto en la mesilla. La abrió y encendió una cerilla.

—¿Qué haces? —preguntó ella mientras él iba encendiendo las velas.

—Arrojar un poco de luz sobre las cosas —contestó él antes de apagar la cerilla.

—Date la vuelta —le pidió ella con delicadeza.

Él se dio la vuelta con las manos en las caderas. Nadie lo había visto desnudo desde Natalie, cuando era tan necio que creía que a ella no le importaría. April, evidentemente complacida, lo miró de arriba abajo esbozando lentamente una sonrisa.

—Adelante, tómate el tiempo que quieras, no tengo prisa.

—No puedo evitarlo —replicó ella—. Eres hermoso.

—April, no...

—Lo digo de verdad —ella le tendió una mano—. Ven.

Patrick vaciló, pero se tumbó en la cama y la abrazó. Le gustaba abrazarla y se sentía mal por lo que había pasado, y no solo porque lo habían engañado.

—Sigo sin poder creerme que tu marido y tú...

—Es verdad.

—Pero ¿por qué?

—Es una historia muy larga y no quiero contarla ahora. Solo diré que fue un matrimonio distinto.

—¿Sabías que no...?

—Sí.

—¿Y aun así aceptaste?

—Sí —April hizo una pausa—. Incluso, por escrito.

Él recordó su... entusiasmo, los sonidos que dejó

escapar, su alegría... ¿Cómo había podido privarse de esa parte de sí misma?

—¿Estás enfadado? —susurró ella.

—Ahora que he superado la impresión, no. Aunque, si me hubieses avisado, lo habría hecho... de otra manera.

—¿De verdad? —ella lo miró—. ¿No vas a largarte dando gritos?

—¿Una vez desnudos? Seguramente, no.

—Entiendo —replicó ella entre risas.

—Qué puedo decir, todo tiene su momento.

Patrick cerró los ojos y se alegró de que ella no pudiera ver su conflicto interior. Una parte enorme de él quería salir corriendo antes de que ella se aferrara a su maltrecho corazón como se había aferrado a su cintura con las piernas. No sabía qué hacer con esa confianza, esa entrega. Sin embargo, tampoco podía dejarla hasta que supiera que estaba bien. Los músculos del estómago se le contrajeron cuando ella le acarició el vientre con la delicada mano.

—¿Qué estás haciendo? —le preguntó él agarrándole la mano.

—Terminar lo que había empezado —contestó ella soltándosela y bajándola un poco más.

Él contuvo la respiración, cerró los ojos y la soltó.

—No hace falta que...

—No digas nada y enséñame lo que tengo que hacer.

Él la dirigió y casi se rio al ver el gesto de concentración de ella. Entonces, ella se detuvo y él estuvo a punto de gritar.

—¿Qué haces?

—Saca otro preservativo, ahora.

Él tardó un momento en asimilarlo, pero empezó a palpar la mesilla para buscar el envoltorio.

—No lo encuentro.

—En el primer cajón.

Se quedó atónito, pero abrió el cajón con tanta fuerza que todo lo que había dentro cayó al suelo.

—¿Cuántos hombres esperabas? —preguntó él sin dar crédito a lo que estaba viendo.

—Son para ti, pero no sabía qué comprar. Elije algo, por lo que más quieras.

Un par de segundos más tarde, estaba preparado. Se arrodilló al lado de ella y le apartó el pelo de la cara. Entonces, se dio cuenta de cuál era el verdadero motivo para haber querido hacer el amor a oscuras. No fue para que ella no lo viera, sino para no verla a ella, para no poder ver su confianza e inocencia. Sin embargo, ya era demasiado tarde.

—Iré muy despacio, dímelo si...

—Entendido —ella cerró los ojos con fuerza—. Adelante.

—No, cuando te hayas relajado.

—Relajarme... De acuerdo.

Ella tomó una bocanada de aire y la soltó lentamente, pero no abrió los ojos.

—Mírame, corazón —ella abrió los ojos como impulsados por un resorte y él se rio—. ¿Estás segura...?

—Sí, perdona. Aunque creo que era más fácil cuando no sabía lo que iba a pasar.

Se tumbó encima y la besó por el cuello y los pechos hasta que a ella se le alteró la respiración y él supo que iba por el buen camino.

—¿Te gusta...?

—Mmm...

Le levantó las rodillas, se colocó y elevó una plegaria, aunque no supo para qué.

—Mírame.

El corazón le dio un vuelco cuando lo miró y entró en ella muy lentamente. Ella se puso en tensión un instante, pero sacudió la cabeza.

—Estoy bien... Ah...

Salió un poco y volvió a entrar. Ella suspiró, sonrió y volvió a cerrar los ojos. La besó y ella lo abrazó recibiéndolo con una sonrisa. Entonces, volvió a suspirar.

—Adelante...

Se sintió como un caballo en la línea de salida. Entró más profundamente y ella empezó a jadear, a reírse y a gritar. Lo arrastró con ella... al territorio enemigo.

Patrick terminó su trozó de tarta, dejó el plato en la mesita y se tumbó en el sofá con la cabeza en el regazo de ella. Por fin habían comido algo. Él llevaba los pantalones y la camisa y ella un albornoz azul. Además, durante la última media hora había comido más que en toda la semana. Según sus primas, el sexo quitaba el apetito, pero a ella le había pasado todo lo contrario. Acarició el pelo corto de Patrick con una sonrisa. Estaba segura de que no lo habría pasado tan bien de adolescente. Sobre todo, porque, probablemente, su pareja habría sido otro adolescente.

—Supongo que se lo contarás todo a tus primas.

—¿El qué? ¿Que soy mayor? —preguntó ella entre risas—. Creo que lo adivinarán, pero no les contaré los detalles aunque me aten y me torturen.

—No me extrañaría que lo hicieran.

—A mí, tampoco, pero te prometo que no claudicaré.

Él levantó una mano, le tomó la nuca y le bajó la cabeza para besarla.

—Estoy seguro.

¿Qué estaría pasándole por la cabeza a Patrick? Se habían besado y abrazado y se habían dicho todas las lindezas que suponía que se decían después de hacer el amor. Le había dado las gracias con toda la sinceridad que pudo mientras seguía casi desfallecida. Él había sonreído de oreja a oreja y eso la había emocionado inmensamente. Luego, se empeñó en que se diera un baño de agua caliente mientras él preparaba algo de comer, lo que la emocionó más todavía. En otras palabras, para ser la primera vez, no podía haber sido mejor. Sin embargo, notaba que él no estaba tan relajado como quería que ella creyera. Parecía como si lo intentara demasiado. Sabía que debería decir algo para tranquilizarlo, pero no sabía qué.

Además, eso fue incluso antes de que le contara todo sobre su matrimonio. Él escuchó con el ceño fruncido mientras comía, pero no dijo nada. Supuso que necesitaría tiempo para asimilarlo todo, entre otras cosas, al parecer, cuándo se abriría a ella de la misma manera, o si lo haría. La buena noticia era que seguía allí, que no había salido corriendo, que había escuchado, que estaba con la cabeza en su regazo, que sentía una esperanza absurda y sin fundamento, pero esperanza. Podía estar enamorándose, aunque, naturalmente, no se lo diría a él. Era demasiado pronto para pensarlo y mucho más para decirlo. Además, podía ser algo fruto de la situación. Si alguien le preguntara por qué creía que estaba enamorándose, no sabría qué contestar. Solo sabía que nunca se había sentido así, que fuera lo que fuese, era mucho más que lo que había llamado amor hasta la fecha. Todo eso de querer hacerle feliz y de estar dispuesta a hacer lo que fuese para verlo sonreír... Seguramente, no se le pasaría enseguida.

Él se sentó para mirar la chimenea con los pies en la mesita y le pasó un brazo por los hombros.

—Sé que he estado muy callado, pero estoy dándole vueltas a la cabeza y he pensado que es increíble que hayas confiado en mí. La verdad, no lo entiendo, pero lo has hecho. Has dado un paso inmenso y lo has dado conmigo. Supongo que estoy conmocionado o algo así.

—Eres bobo.

—El caso es que he pensado que... lo mínimo que puedo hacer es confiar también en ti, todo lo que pueda, claro. Supongo que tendrás curiosidad... sobre lo que me pasó.

—Tu madre ya...

—Ella no estaba allí, April.

Se acurrucó contra su pecho, introdujo una mano por debajo de la camisa y le acarició las cicatrices que ya conocía muy bien.

—Creo que «curiosidad» no es la palabra adecuada. Solo quiero saber si quieres contármelo. Quiero saber lo que quieras contarme, pero no voy a indagar ni a atosigarte, lo prometo. Si lo hago, dime que no puedes contármelo y lo aceptaré.

—¿De verdad?

—Bueno, digamos que intentaré por todos los medios aceptarlo. ¿De acuerdo?

—De acuerdo.

Él, sin embargo, tardó tanto en arrancar que creyó que había cambiado de opinión. Hasta que...

—Mi reacción instintiva fue cerrarme. Hablar de ello, de lo que me acordaba, era lo que menos me apetecía del mundo. Necesité tres psicólogos para convencerme de que no era la mejor forma de actuar. Todo el mundo tiene desgracias, pero no puedes sobrellevarlas si reprimes los recuerdos. Me había convencido de que... De que era demasiado fuerte como para lamentarme, de que reconocer lo perdido, furioso y resentido que estaba era una señal de debilidad porque esos sentimientos me aterraban.

Ella se acordó de lo que le había dicho su madre y se dio cuenta de que, quizá, no solo debería hacerle feliz, sino que debería permitirle que sintiera, que fuese humano.

—Aterran a todo el mundo, cariño.

—Sin embargo, tardé mucho en aceptarlo. Dicho eso... No he hablado de ello con nadie, aparte de mi familia y mi último psicólogo.

—¿Ni con tu exesposa?

—Lo intenté, te lo aseguro, pero no quiso oírlo. Dijo que no quería que esa negatividad contaminara el ambiente —ella se quedó en silencio—. ¿Nada que decir?

—Nada que deba decir una buena chica sureña.

Él sonrió y le besó la mano. Ella escuchó en silencio mientras le contaba la explosión, el incendio, el caos y la descarga de adrenalina que se adueñó de él antes que todo se quedara en negro. Le contó que despertó en un hospital de Alemania con su madre al lado, que no recordaba haber rescatado a sus compañeros y la tristeza que sintió al darse cuenta de que algunos no salieron. Le contó los meses de tratamiento y las operaciones, el dolor y la batalla constante contra el desánimo, la depresión, el remordimiento, independientemente de los hombres que hubiese salvado, y la cantidad de veces que se había planteado acabar con todo.

—Entonces, me acordé de que tenía una hija pequeña a la que casi no había visto. Nat podría haberla llevado a San Antonio, pero, según ella, no quiso traumatizarla. Quizá tuviese razón, no lo sé. Al menos, me mandó fotos y vídeos. Quiero decir, quería a Lili y habría hecho cualquier cosa por ella. Ella fue lo que me mantuvo vivo. Ella estaba esperándome y contaba conmigo —hizo una pausa—. Además, no sabía cuánto.

—¿Porque tu esposa...?

—Sí, me abandonó. Nos abandonó. La primavera pasada, cuando llevaba cuatro meses en casa. Lo gracioso fue que a Lili no le importaba que su padre no pareciese... normal. Su madre, sin embargo, nunca lo asimiló. Aunque tengo que decir...

Patrick bajó los pies al suelo, retiró el brazo de sus hombros y se inclinó hacia delante con las manos entre las rodillas.

—Las terapias, hablarlo, me sacaron del infierno, desde luego, pero no pudieron arreglar lo que tenía roto por dentro.

—¿Crees que estás roto? —preguntó April apoyando una mano en su espalda.

—Sé que lo estoy, April. Aunque las cosas casi están casi arregladas, nada es igual. No me siento igual. No me refiero a mi aspecto, aunque las miradas todavía me duelen de vez en cuando, pero haber estado allí, haber visto lo que vi, ver a mis hombres... Pagué un precio mucho mayor del que pude imaginarme cuando era un pardillo de diecinueve años y me alisté. No creo que nadie pueda digerirlo completamente.

Se giró para mirarla y la frustración que vio en sus ojos la desgarró por dentro.

—Esta noche, haber estado contigo... No puedo describirlo. Me pareció casi, no sé... real.

—Eso está bien, ¿no?

—He dicho que me pareció real —replicó él con delicadeza—. Eso no quiere decir que lo fuese.

April lo abrazó y apoyó la cabeza en su espalda.

—Para mí fue real como la vida misma —susurró ella con una sonrisa—. Dos veces. Además, si esa es tu forma de decir que ha sido una relación esporádica y única, me sentiré muy dolida.

Él soltó una carcajada, se dio la vuelta y le tomó la cara entre las manos.

—¿Aunque diga que las cosas no van a cambiar nunca? ¿Aunque diga que nunca podré dártelo todo porque ni siquiera soy capaz de reunir lo bastante para dárselo a mi hija?

Ella sopesó las alternativas. ¿Podía soportar otra relación con condiciones? ¿Sería tan necia de renunciar a tener su vida cuando ya lo había hecho durante tanto tiempo? Además, sabía que amar a un hombre no bastaba para cambiarlo. No le bastó a su madre con su padre.

De no haber sido por esa esperanza, habría tomado la decisión que casi todas las mujeres habrían considerado acertada. La muerte de Clay le había dolido, pero el rechazo de Patrick podría destrozarla. Sin embargo, rendirse sin haberlo intentado la destrozaría mucho más porque sería lo mismo que había hecho su esposa.

Se puso a horcajadas encima de él, dejó que el albornoz cayera al suelo y lo agarró del cuello. Los ojos de Patrick se velaron inmediatamente y ella se dio cuenta de que no se sentía una sinvergüenza ni nada parecido, se sentía una mujer que quería entregarle todo lo que tenía a su hombre mientras él lo necesitara.

—Lo que eres en este momento es mucho más de lo que he tenido antes —susurró ella besándolo delicadamente en la boca—. La idea de renunciar a ello cuando lo he encontrado...

April se levantó tendiéndole una mano. Él también se levantó, tomó la mano y fueron al dormitorio. Al día siguiente no podría andar, pero estaría dando saltos de alegría por dentro.

Capítulo 9

A LA mañana siguiente, se recogió el pelo en una coleta e intentó concentrarse en todo lo que tenía que hacer. Tenía que entrevistar a posibles empleados, terminar algunos detalles de decoración y contestar las llamadas de su madre, quien había tenido que llamar precisamente la noche en la que no quería contestar. Afortunadamente, había dicho que solo quería charlar. Entró en la cocina y se encontró con Blythe, quien cerró inmediatamente el ordenador portátil.

—¡Qué susto! ¿Qué haces aquí? —preguntó April dirigiéndose hacia la cafetera.

Blythe comió algo de lo que había sobrado la noche anterior.

—Unos clientes potenciales. Una pareja de ricachones que viven cerca de los padres de Ryder vieron fotos de la posada en mi página web y me pidieron verla antes de contratarme. Espero que no te importe.

—¿Que traigas a ricachones por aquí? —April metió la cápsula de café—. En absoluto.

Blythe apoyó un codo en la encimera, dio un sorbo de café y miró fijamente a April.

—¿Qué tal? Aunque no hace falta que te lo pregunte. Tienes el pelo enmarañado y llevas dos zapatos distintos.

April los miró. Efectivamente, uno tenía una hebilla y, el otro, un lazo. Patrick se marchó a medianoche, más o menos. Lo hizo a regañadientes, pero tenían que asimilarlo todo.

—Bien —April decidió cambiar de conversación—. ¿Por qué has cerrado tan deprisa el ordenador?

—Ha sido un reflejo por el susto —April, sin embargo, vio que se sonrojaba—. Además, no creas que vas a cambiar de conversación.

—Mírame.

—Tengo razón, ¿verdad? —Blythe puso en blanco los preciosos ojos verdes—. No es que vaya a presionarte para que me cuentes todos los detalles...

—Presióname lo que quieras. No voy a dártelos.

Aunque no sabía si Patrick y ella volverían a... tontear, sería una auténtica pena desperdiciar todos esos preservativos...

—¿Cuándo van a venir esos clientes? Tengo dos entrevistas por la mañana y Patrick va a venir a recogerme para ir a por el árbol.

—A las nueve. ¿Vais a ir juntos a por el árbol de Navidad? Vaya...

—Tiene una camioneta.

—¿También va a ir su hija?

April se sentó en un taburete al lado de su prima.

—No lo sé.

—Vaya, eso no suena muy bien.

—Efectivamente —replicó April—. No suena muy bien.

—¿Qué quieres decir?

Si bien no pensaba comentar nada de lo que habían hecho en la cama, sí podía comentar algunas cosas con otra persona. Sobre todo, porque, dada la situación, estaba muy tentada de sacar conclusiones precipitadas.

—No lo sé —contestó April antes de dar un sorbo de café—. Tengo la sensación de que Patrick tiene miedo de que me acerque mucho a Lili... o ella a mí.

—Es muy pronto. No puedes reprochárselo.

—No, claro —reconoció April—. Sobre todo, teniendo en cuenta lo que pasó con su exesposa. Lili no ve a su madre casi nunca y cuando la ve se queda machacada durante varios días, según Patrick. Algo que lo machaca a él. Por eso, como es...

April sintió un nudo en la garganta por las lágrimas. La cruda realidad, era muy cruda.

—Como solo es algo pasajero... —siguió April apretando los labios.

—¿Estás segura? —le preguntó Blythe tomándole una mano.

—No estoy segura de nada. Ni siquiera, de cómo me siento. Lo sé, acaba de suceder y no hay prisa —April suspiró—. Aunque yo al menos veo posibilidades, él no las ve.

—Es un hombre, nunca las ven.

—Algunos las verán, si no, nadie se casaría.

—Creo que, sencillamente, se cansan de pelear —replicó su prima con una risa irónica.

—Los hombres se enamoran —insistió April con el ceño fruncido—. Mira a Mel y Ryder.

—De acuerdo, te concedo eso, pero Patrick...

Blythe apretó los labios, abrió el ordenador y pulsó unas teclas para salir de donde estaba.

—Suéltalo, Blythe.

—No quieres que un hombre esté contigo porque has acabado agotándolo. He pasado por eso y duele mucho más que si la relación no ha cuajado. Además, tú...

—¿Qué?

—Eres muy inexperta. Ten cuidado. Protege tu corazón lo primero. No te entregues incondicionalmente porque no lo agradecen.

Tenía cierta razón. Era inexperta y vulnerable y, además, siempre se había entregado sin pensar en las consecuencias. Excepto esa vez. Aunque no sabía muy bien lo que estaba haciendo, sí sabía los riesgos que había... y las posibles recompensas.

—Además, ¿sabes otra cosa? —siguió Blythe—. Me alegro de que Patrick ponga a su hija por delante. Si más padres hicieran lo mismo, es posible que no hubiera tantos niños desgraciados —llamaron a la puerta—. Serán mis clientes. Creo que deberías arreglarte.

Diez minutos después, peinada y con los zapatos iguales, April abrió la puerta y se encontró con una pareja sonriente que aspiraban al puesto de encargados. Sus exclamaciones de admiración retumbaron por toda la casa mientras acompañaba a los dos hombres al despacho. Tuvo la sensación de que su abuela estaría retorciéndose en la tumba.

Patrick aparcó delante de la posada, se bajó sintiendo el frío que hacía y se preguntó si la noche anterior habría sido un sueño. Un sueño muy bueno, para variar. La puerta de la casa se abrió y April salió con una sonrisa que lo dejó sin respiración. Fue a la puerta del acompañante mientras ella se acercaba con una bufanda azul. No había nadie más, no había ningún coche aparcado...

—Hola —le saludó ella cuando llegó.

No estaba muy cohibida, pero sí lo suficiente como para que los recuerdos de la noche anterior le despertaran una ternura y una excitación abrumadoras. Había pasado la noche en vela mirando el techo e intentando aclarar lo que había pasado, dónde se había metido y de dónde no iba a salir a corto plazo, se dio cuenta cuando ella se puso de puntillas para darle un delicado beso en los labios... o de dónde no quería salir, que era lo aterrador. Se inclinó un poco para besarla y abrazarla mejor y sintió una calidez que se adueñaba de él cuando ella se rio. Incluso en ese momento, las ganas de salir corriendo eran enormes, independientemente de que también quisiera llevarla a la casa para dejarse arrastrar por su dulzura y generosidad hasta que ella quisiera... La erección era tal que le dolía. April volvió a reírse.

—Creo que eso contesta mi pregunta.

—¿Qué pregunta?

—Si querrías... eso otra vez conmigo.

La timidez nunca le había parecido excitante hasta ese momento. Seguramente, porque era auténtica, como todo lo que hacía April.

—Siempre he querido... eso. Otra cosa muy distinta es que debiera...

—¿A quién intentas proteger? —le preguntó ella mirándolo a los ojos.

—No estoy seguro.

Ella se metió las manos en los bolsillos del chaquetón y sofocó un suspiro de frustración mientras miraba hacia otro lado para pensar un poco antes de volver a mirarlo.

—Entonces, es posible que tengas que aclararlo —replicó ella con firmeza pero sin acritud—. Si crees que tienes que protegerte a ti mismo, adelante, hazlo ahora mismo. Yo no necesito que me protejan, Patrick, ni tú ni nadie. Te invité a mi cama porque quise y te invito otra vez porque sigo queriéndolo. He esperado muchísimo tiempo para encontrar un hombre con el que quisiera... eso y creo que he elegido muy bien. Estuvo muy bien, estuviste muy bien, y no me apasiona la idea de dejarlo cuando casi no ha empezado. Por eso, si no te importa...

—Dios mío, hablas una barbaridad.

Ella sonrió, sacó una mano y lo agarró de la chaqueta, como hizo en el coche unas noches antes.

—Algo me dice que podrías imaginarte una manera de callarme.

Patrick, sin poder decidir si era una pesadilla o una bendición, dio una palmada en la camioneta.

—¿Qué te parece que vayamos a por el árbol de Navidad?

—No creo que vayan a acabarse en una hora —replicó ella con una sonrisa tentadora.

Más tarde, mientras miraba a April ir de un árbol a otro en el vivero de Sam, Patrick se dio cuenta de que, si bien había algunas mujeres que se amodorraban después de hacer el amor, en ella tenía el efecto contrario. Además, no había callado durante todo el camino. Le había contado que la pareja que había contratado iba a ser perfecta, que todavía esperaba que sus padres fuesen a pasar la Navidad, que Mel y ella iban a poner una caseta en la plaza del pueblo para promocionar la posada. Siempre había sido habladora, pero en ese momento estaba exultante y era gracias a él.

—Sujeta este para que pueda ver que tal es —le pidió ella.

Él se acercó sintiéndose un poco exultante también... y más sereno que nunca. Si bien las sombras no habían desaparecido completamente, la luz estaba empezando a borrarlas. Agarró el árbol y no pudo contener una sonrisa al ver que April lo miraba como miraba Lili cuando se concentraba en algo. April y Lili se llevarían muy bien... si él las dejara.

—Déjalo con los posibles —le pidió April señalando un montón de árboles.

Tenía muchas virtudes, pero tomar una decisión rápida no era una de ellas y él debería estar un poco impaciente, como mínimo. Que no lo estuviera seguramente tenía mucho que ver con el sexo. Mucho, pero no todo. Se acordó de que Natalie siempre estaba descontenta, que lo miraba como si fuese el culpable de todo lo que le había salido mal en la vida y él se lo había creído. Las pocas veces que hicieron el amor después de que él volviera, por llamarlo de alguna forma, no hubo ni rastro de su corazón. El sexo había sido una tarea que tenía que soportar, no disfrutar. Incluso cuando la llevaba al clímax, parecía casi como si lo lamentara.

—Uno más y elegiré, lo prometo —aseguró ella señalando otro candidato.

Patrick agarró el árbol pensando lo distintas que eran April y Natalie. Que fuese tan positiva y adorable después de todo lo que había pasado era toda una lección. Volvió a pensar que mantener alejadas a Lili y April no solo era una tontería, era puro egoísmo.

—¡Ese! —exclamó ella aplaudiendo—. ¡Ese es nuestro árbol!

—¿Estás segura?

—Claro que estoy segura —ella se rio al ver el gesto de escepticismo de él—. De acuerdo, es posible que me cueste un poco decidirme, pero una vez que me he decidido, no me echo atrás.

—¿De verdad? —preguntó él mientras llevaba el árbol hacia la caja registradora.

April se adelantó sacando la cartera del bolso y mirándolo con una confianza que le borró todas las sombras.

—Nunca —contestó ella.

Estaba resplandeciente porque todo eso era nuevo para ella, que lo hubiese elegido a él era mera casualidad. Su serenidad empezó a evaporarse lo suficiente como para darse cuenta de que aferrarse a eso estaba fuera de la realidad y lo estaría siempre. Ella acabaría despertándose y entonces se daría cuenta de que su viaje acababa de empezar y de que él no era la parada de destino. Sin embargo, hasta entonces, aprovecharía el momento, lo disfrutaría, haría lo que pudiera para que los dos sonrieran. Cuando acabara, no habría arrepentimientos de ningún tipo.

Sin embargo, por eso tenía que mantener a Lili y a April alejadas. Él podría sobrellevar el final cuando llegara, pero hacérselo a su hija era inhumano.

Durante la semana siguiente, April se pasó el día sonriendo como una idiota o conteniendo arrebatos de algo muy parecido a la ira. La sonrisa se debía a que Patrick y ella eran amantes. Quizá no con tanta frecuencia como le hubiese gustado debido a las obligaciones de los dos, pero él estaba muy entregado y era muy creativo. Bastaban treinta minutos, un saco de dormir y la parte de atrás de la camioneta. Agarró un folleto del mostrador de recepción y se abanicó. Eso iba de maravilla. Era considerado y tenía muchas ganas de agradar. Además, cuando bajaba la guardia, era divertido. Sin embargo, le dolía que se resistiera a que estuviera con su hija. No le dolía porque quisiera proteger a su hija, eso le gustaba mucho, pero también estaba muy claro que mientras no le dejara entrar en la parte más importante de su vida, ella no podría esperar formar parte de su vida. El sexo era maravilloso, le encantaba el sexo, pero no era una relación profunda y era muy evidente que Patrick quería mantenerlo en ese terreno para que la relación no fuera más allá. Eso era lo preocupante. Además, eso le hacía sospechar que Patrick renegaba de sí mismo más todavía que de ella. Eso hacía que quisiera abofetearlo... aunque también le confirmaba su decisión de persistir, de utilizar lo que tenía, el sexo en ese caso, hasta que viera un resquicio que le permitiera entrar en él.

Tenía que tener paciencia, se dijo a sí misma mientras Todd enchufaba la aspiradora. Todd y Michael, su pareja, vivían en el dormitorio del fondo del piso de abajo y ya se habían ganado el agradecimiento y respeto eterno de April por su cuidado con los detalles. Además, Todd era increíblemente intuitivo. Aunque no les había contado nada sobre Patrick, ellos la había visto lo suficiente con él como para poder sacar conclusiones.

—¿Todo marcha bien? —le preguntó Todd moviendo un mueble que no hacía falta mover.

—Inmejorablemente —contestó ella—. ¿Están ya las cestas de recibimiento en las habitaciones?

—Desde hace una hora, pero mientes fatal. Siento decírtelo, pero pareces a punto de desmoronarte.

—Bueno, hay más trabajo del que me esperaba para acabar de abrir.

Por lo menos, no había acertado de pleno lo que había estado pensando. Bastante tenía con que sus primas pudieran leer sus pensamientos como si los llevara escritos en la frente.

—¿Acaso no te hemos dicho Michael y yo que, si quieres descansar un poco, estaremos encantados de ocuparnos de la posada? Además, como los dos queremos conservar el empleo durante más de cinco minutos, no haremos nada que pueda perjudicarla.

—¿Crees que no confío en vosotros? En absoluto, es que...

—No quieres dejar a tu criatura con un desconocido, lo sé. Yo te lo digo para que lo tengas en cuenta. Sobre todo, si esperas poder pasar un rato con tu fornido joven.

La aspiradora rugió antes de que ella pudiera decir algo y notó la vibración del móvil en el bolsillo. Era su madre. Fue al despacho para alejarse del ruido y cerró la puerta.

—Solo quería saber qué tal van los cosas. Aunque me imagino que irán despacio al principio.

April nunca sabía si los comentarios de su madre se debían a un apoyo maternal sincero o a una agresividad latente. No era un secreto que esperaba que saliera mal por la crisis y todas esas cosas. Además, si había alguien que sabía lo raro que era que una iniciativa saliera adelante, esa era su madre.

—En realidad, las cosas van muy bien. Tengo reservas hasta enero...

—¿De verdad?

—De verdad. Además, el restaurante está despegando. Mel está haciéndolo muy bien. ¿Habéis recibido las fotos que os mandé?

—Sí...

—¿Qué te parece? Es impresionante, ¿verdad?

—Tengo que reconocer que no la habría reconocido. Blythe tiene mucho talento, ¿no?

—Sí. Había pensado que papá y tú podríais quedaros en la habitación azul y verde cuando vengáis en Navidad...

—April, cariño, nada ha cambiado. No se puede poner papel pintado en los recuerdos por mucho que lo intentes. Además, creía que habías dicho que estaba todo reservado hasta enero...

—No, he dicho que tenía reservas. Todavía hay habitaciones libres y estaba guardándoos esa.

—¿Por qué...?

—Porque... Porque soy una optimista incorregible que sigue creyendo que llegará el día en el que su madre dejará de permitir que una mujer muerta le controle la vida.

—No tienes ni idea de las cosas que me dijo, que nos dijo a las tres...

—No, no lo sé, y, francamente, me da igual. No me da igual que te hiciera daño, pero ella está muerta y la casa es mía y quiero que te sientas orgullosa de mí por lo que he hecho con ella... o, al menos, que me respaldes tanto como hiciste con papá. Al fin y al cabo, si tenemos en cuenta todo lo que renuncié por ti, es lo mínimo que puedes hacer.

Se llevó una mano a la boca. No sabía por qué había elegido ese momento para desahogarse. En realidad, sí lo sabía. En ese momento sabía a lo que había renunciado. No se refería solo a las caricias de unas manos curtidas, a los orgasmos que parecían experiencias extrasensoriales o a los besos interminables. No, había renunciado a entregarse plenamente, a acariciar a otra persona, a que otra persona sintiera experiencias extrasensoriales por ella, a aliviar el dolor de alguien, aunque solo fuese de vez en cuando...

—¡April! ¿Puede saberse de qué estás hablando?

April agarró el teléfono con todas sus fuerzas. Se había casado voluntariamente, con Clayton y lo había cuidado con cariño, pero la verdad era que había aceptado solo por gratitud y, probablemente, Clayton lo supo mejor que ella entonces. Si hubiese sabido lo que sabía en ese momento, no estaba segura de que hubiese tomado la misma decisión.

—Me casé con Clayton por hacerle un favor... o, quizá, para devolverle el que me había hecho.

Ella notó que su madre se había quedado petrificada.

—Pensé... cariño, no lo entiendo. ¿Quieres decir que fue un matrimonio de conveniencia?

—Sí.

—¿Para quién?

—Para los dos.

—Por... —su madre tomó una bocanada de aire—. Por lo que hizo por nosotros cuando tu padre estaba enfermo...

—En parte. Éramos amigos, pero solo amigos. ¿No te extrañó que él fuese mucho mayor o que no fuésemos... del mismo nivel social?

—Por favor... Los hombres ricos y mayores se casan con chicas jóvenes. Eras impresionante y sigues siéndolo. Mientras fueses feliz... ¿Lo fuiste?

—Se portó bien conmigo, en la medida que pudo.

—¿Qué quieres decir?

—Estaba enfermo cuando me casé... Ese fue el favor que le hice como un regalo a su madre, pero Clay era amable y muy generoso y, evidentemente, salí más beneficiada de lo que había podido imaginarme. Aunque, sinceramente, no me casé por su dinero. Al menos, para mí. Sin embargo, sí sabía que, si me casaba, él se ocuparía de que papá y tú estuvieseis... atendidos.

Ella tardó mucho en darse cuenta de que, muy probablemente, Clay habría velado por el bienestar de sus padres aunque no hubiera aceptado casarse con él porque tenía un corazón muy grande, como su cuenta corriente. Ella había sido la única que había tenido sentido de la obligación, pero, a los veintiún años, no lo sabía ni lo conocía a él. Mejor dicho, no sabía quién era ella ni lo que necesitaba de verdad. Una vez que hizo la promesa...

—No tenía ni idea, cariño. No lo sabía.

—Ya lo sé, mamá, y siento no habértelo explicado, pero me pareció lo mejor... en ese momento.

—Y ahora... —su madre hizo una pausa como si estuviera comprendiendo algunas cosas—. Ahora, por fin, estás haciendo algo por ti misma.

Aunque sabía que su madre se refería a la posada, se alegró de que su madre no pudiera ver lo roja que se había puesto cuando la mirada ávida de Patrick apareció en su cabeza.

—Ya iba siendo hora, ¿no? —contestó ella antes de oír que llamaban a la puerta—. ¡Adelante!

—Los Eddleston han llegado —le comunicó Todd asomando la cabeza—. Si estás ocupada, puedo atenderlos...

—No, ahora voy. Mamá, han llegado unos huéspedes. ¿Hablaremos más tarde...?

—Desde luego —contestó su madre en tono abatido—. April...

—¿Qué...?

—Te quiero. Lo sabes, ¿verdad?

—Claro —contestó April con lágrimas en los ojos—. Yo también te quiero.

Sin embargo, cuando colgó, se preguntó si seguiría engañándose a sí misma. Por mucho que se alegrara de lo que tenía con Patrick, por mucho que entendiese que él tenía que ser cauto, ¿su impaciencia, irritación o lo que fuese se debía a que había vuelto a aceptar una relación con condiciones, que era válida por el momento? Tenía que meditarlo.

Saludó con una sonrisa a los Eddleston, una pareja de jubilados de Baltimore. Los registró, pasó la tarjeta de crédito, les dio las llaves y, mientras los acompañaba por las escaleras, se dio cuenta de que Patrick no era el único que se refrenaba. Quizá, al darle la distancia emocional que parecía necesitar, estaba transmitiéndole el mensaje de que ella tampoco quería ir más allá, de que se conformaba con una relación sexual. Todo era muy complicado. ¿Cuándo se convertía en asfixiante un compromiso? ¿Cómo le transmitiría a Patrick lo que quería sin que él se sintiera atrapado?

—¡Es precioso! —exclamó la señora Eddleston cuando entraron en la habitación.

—Gracias.

—¿Es su casa?

—Ahora, sí. Fue de mi abuela, y mis primas y yo pasamos aquí los veranos cuando éramos niñas.

—Y le encantaba —comentó la señora Eddleston con amabilidad.

—Sí.

—Se nota —la mujer la miró con un brillo que le

brotaba de dentro—. Creo que en su página web he leído algo de que también celebran bodas, ¿no?

—Todavía no hemos celebrado ninguna, pero pensamos hacerlo. ¿Están pensando en renovar su matrimonio?

La mujer se rio y le dio un codazo a su marido.

—¿No te parece perfecto para la boda de Lisa? —él gruñó y su esposa lo miró con indulgencia—. Es nuestra nieta. En Navidad, su novio va a pedirle que se case con él, aunque ella no lo sabe. Nosotros tampoco deberíamos saberlo, pero la madre de Lisa no pudo contenerse.

—Tengo algunos folletos sobre nuestros servicios para bodas, si quieren llevarse algunos...

—¡Sería perfecto! ¡Muchas gracias!

—Entonces, dejaré que se instalen. El comedor abre a las cinco y media. Encontrarán el menú de hoy en el aparador. Si necesitan algo, no duden en pedirlo. ¡Ah! Todo es informal, sin etiqueta.

Salió de la habitación y dejó de lado el estado de ánimo sombrío para ir a la cocina, donde estaban Mel y Sylvia, su ayudante nueva. La escalera olía a pollo con hierbas, verduras a la parrilla, sopa de pescado y bollos recién hechos. Por el momento, el restaurante solo abría cinco noches a la semana, aunque pensaban abrirlo todos los días porque había sido todo un éxito. Mel estaba más que contenta, como ella, claro.

—¡Hola, Sylvia! ¿Qué tal todo?

—Bien, señorita Ross —contestó ella con una sonrisa tímida—. ¿Y usted?

Después de muchas entrevistas y lamentaciones por no encontrar candidatos aptos, Mel acabó encontrando a alguien que le pareció que podía cumplir los requisitos. Era la nieta de un granjero al que visitaban con la madre de Mel durante aquellos veranos de la infancia. La joven, alta y delgada, picaba verduras con un pequeño diamante de compromiso en el dedo. April miró a Mel y sus ojos se dirigieron también a su diamante rosa. Su propio dedo le recordó que la marca seguía allí y puso los ojos en blanco por ser tan necia.

—Prueba la salsa del pollo a ver qué te parece —le pidió Mel mientras se iba a la despensa.

—Fabulosa... —dijo April después de probarla con una cuchara.

—Sylvia, ¿no han traído más aceite de oliva hoy? —preguntó Mel saliendo de la despensa.

—Ayer, pero creía que teníamos una lata de sobra.

La joven dejó de picar verduras y fue a la despensa. April oyó que rebuscaban y ella probó un poco más de salsa. Se estremeció.

—Yo, también —dijo Mel—. Debo de haber usado más del que creía.

—¿Quieres que vaya al pueblo a por más? —se ofreció Sylvia.

—Entonces, no te tendría aquí...

—Iré yo —intervino April—. Todd puede ocuparse de todo durante media hora. ¿Qué necesitas?

Así fue como, quince minutos después, April aparcó delante del único supermercado de alimentación de St. Mary's y se encontró a Patrick agachado delante de la puerta mientras intentaba animar a una desconsolada niña de cuatro años.

Capítulo 10

PUEDO hacer algo?

Patrick levantó la cabeza y el corazón le dio un vuelco al ver a April. Hasta que se dio cuenta de que sus palabras no coincidían con la expresión de no saber qué hacer. Negó con la cabeza, se levantó y tomó a su hija en brazos. La abrazó y le acarició la cabeza una y otra vez mientras miraba a April, quien seguía con la expresión de querer hacer algo, pero no saber el qué. Aunque tampoco parecía muy preocupada por el arrebato de Lili. Entonces, una vieja arpía a la que Patrick no conocía debió de decirle algo que ofendió a April porque esta se dio la vuelta, le contestó y la arpía se marchó apresuradamente. Luego, sin más explicaciones, le arrebató a Lili de los brazos, fue a un banco, se sentó, le acarició la cabeza y le cantó algo. Quiso desearle suerte, pero los alaridos fueron remitiendo hasta que Lili apoyó la cabeza en el pecho de April, se metió el pulgar en la boca y se durmió. Patrick, más desgarrado que antes, se sentó a su lado pensando que debería ser Natalie quien tuviera a Lili en brazos, pero era April. La disparatada y temeraria April, quien no estaba dispuesta a dejar de intentarlo por no saber qué hacer. Además, si no supiese que era imposible, podría llegar a pensar que se había enamorado de ella.

—¿Cómo lo has hecho?

—No tengo ni idea —susurró April—. Además, no quería meterme, lo juro, pero pensé que quizá Lili estuviera percibiendo tu tensión.

Lo miró con los enormes ojos color turquesa y todo se le alteró por dentro, como si quisiera conservarla.

—¿Qué ha pasado? —le preguntó ella.

—No lo sé... Espera... Cuando la saqué de su asiento del coche, salió corriendo y tuve que ir detrás de ella asustado de que... Quizá me puse demasiado enérgico porque me miró de una forma muy rara, que no abandonó hasta que nos enzarzamos en una discusión para que se sentara en el carrito de la compra.

April se rio y el nudo se le aflojó y se le apretó al mismo tiempo.

—Una niña muy independiente, ¿no?

—Y tú que lo digas... ¿No estabas preocupada por su... arrebato?

—Después de haber vivido con mi suegra, te aseguro que una niña de cuatro años no me impresiona —contestó ella riéndose otra vez.

Lili se despertó, miró a April con desconcierto y estiró los brazos hacia su padre. Él la agarró y April resopló con disgusto, despertando en él toda una serie de pensamientos muy poco apropiados para la ocasión. Sobre todo, cuando se dio cuenta de que ella tenía los brazos agarrados al abdomen como si le hubiesen arrancado algo.

—Gracias.

Se preguntó si el mundo explotaría si se inclinaba y la besaba o si explotaría él si no lo hacía. Habían pasado dos días desde la última vez que estuvieron juntos, desde que oyó su risa, desde que sintió la calidez de su sonrisa. Dos días en los que se había sentido anhelante todo el rato.

—Has llegado en el momento indicado —añadió él.

—Eso parece.

Ella se levantó y se colgó el bolso del hombro. La idea de que fuesen a separarse como si fuesen dos conocidos que se habían encontrado por casualidad lo molestó infinitamente. También se levantó con Lili en brazos y se dio cuenta de que April sonreía de una forma rara.

—¿Cómo vas a hacer la compra?

—Compraré lo indispensable y volveré más tarde...

—No sé qué hacer —dijo ella con delicadeza.

—¿Qué...? —preguntó él.

Una ráfaga de viento la despeinó y ella se puso bien la diadema de concha.

—Me gustaría invitaros a Lili y a ti a cenar en la posada, pero me da miedo que te sientas amenazado, que te parezca agobiante. Quiero decir, entiendo tu preocupación por Lili y, seguramente, yo haría lo mismo si fuese mía, pero... pero no puedo evitar tener la sensación de que también la utilizas como un motivo para no avanzar, para no tener que indagar lo que hay entre nosotros.

—Eso es una bobada —replicó él aunque se acordó de las palabras de su cuñado.

—¿Lo es? —preguntó ella con una de esas miradas que lo estimulaban e inquietaban a la vez.

Patrick quiso devorar toda esa fuerza tan delicada

hasta que estuviese saciado, si eso fuese posible.

—Creía que habíamos acordado que esto era algo entre los dos.

—¿Cómo sería posible? Lili no solo es una parte muy considerable de tu vida, es parte de ti. Y mi corazón... —ella miró a Lili y luego lo miró a él—. Mi corazón es muy grande, Patrick. Ya he tenido una relación limitada, aunque fuese completamente distinta a esta. Ya sé que la tuve voluntariamente, pero mi concepto de lo que será suficiente se ha ampliado.

—Eso quiere decir que has decidido cambiar las reglas.

—Quiere decir que me equivoqué al aceptar esas reglas. Además, en aquel momento no pensaba con claridad —reconoció ella con una sonrisa mientras apoyaba una mano en su brazo—. Disfruto mucho con lo que tenemos, pero sé que, al final, no será suficiente. Quiero más, Patrick. Me merezco más. Al menos, me merezco la oportunidad de comprobar si podría haber algo más. Además, ¿sabes una cosa? —ella se inclinó hacia él—. Tú, también. Tú y tu preciosa hija —susurró Lili antes de darse la vuelta para entrar en el supermercado.

Patrick volvió a su camioneta y decidió que prefería pagar los desorbitados precios del pan y la leche del 7-Eleven que arriesgarse a encontrarse con April en el supermercado. ¿A santo de qué decía esas cosas? No lo conocía a él, no conocía a Lili y no sabía ni lo que necesitaban ni lo que se merecían. Sin embargo, cuando consiguió sentar a su hija y se sentó él mismo, notó como si alguien le diese un cachete en la nuca.

—¿Por qué has tardado tanto? —bramó Mel.

Luego, le arrebató la lata de aceite y vertió un chorro en la sartén que tenía al fuego. April miró a Sylvia, quien se encogió de hombros y siguió con lo que estaba haciendo.

—Me he encontrado con Patrick... y Lili —April dejó el bolso en un extremo de la encimera—. La pobre estaba llorando como una Magdalena en la puerta del supermercado.

—¿Qué pasó? —le preguntó Mel.

—Se la quité a Patrick y me senté con ella hasta que se calmó, como si yo supiera lo que había que hacer...

—¿De verdad?

—De verdad. Bueno, hasta que Lili se dio cuenta de que yo no era su padre y casi se rompe algo para intentar volver con él.

—No te lo tomes a mal —Mel se rio—. Los niños no son famosos por su diplomacia.

—Lo sé, pero... —April cerró la boca.

—Sigue —le ordenó Mel con los ojos entrecerrados.

Aunque no era un secreto que se hubiese acostado con Patrick, esperó a que Sylvia se fuese al cuarto de baño para contarle que lo había invitado a cenar, aunque sin éxito, y todo lo demás.

—Aunque no creo que lo recuerde. Además, debería habértelo preguntado antes.

—Qué tontería. Seguramente, podríamos dar de comer a todo el clan Shaughnessy con las sobras. Está muy bien que hayas dejado la pelota en su tejado.

—Algo que sorteó hábilmente —April suspiró—. Seguramente, porque estoy actuando como una adolescente al acecho.

—Más bien, como una mujer que se atreve a decirle a un hombre lo que quiere.

—Pero lo he ahuyentado.

—Lo dudo. Los hombres son muy raros. Quieren que seamos sinceras para no tener que adivinar lo que pensamos, pero cuando lo somos, se enfadan. También lo superan, en general.

—Gracias...

Mel le dio unas palmadas en el brazo y quitó la sartén del fuego.

—Por cierto, Ryder y yo hemos fijado una fecha...

—¿De verdad? ¿Cuándo? —le preguntó April con una sonrisa.

—A principios de junio en el cenador. Si te viene bien.

—¡Claro! ¿No será en casa de sus padres? Creía que habías dicho que esas cosas no te importaban.

—Es verdad. Bueno, sus padres y yo estamos organizándolo, pero preferiría casarme aquí. ¿Crees que la tía Tilda y el tío Ed vendrían?

—¿Quién sabe? —contestó April mientras Mel se lavaba las manos—. Puede suceder un milagro.

—¡Mira...! —dijo Mel mirando por la ventana.

—¿Qué?

April se acercó y se quedó boquiabierta cuando vio a Patrick y a Lili, inusitadamente callada, que iban hacia la entrada trasera. Él levantó la mirada y la saludó con la mano al verla.

—¡Vaya! —Mel se rio y dio un codazo a April—. Lo tienes en el bote.

No estaba tan segura, pensó ella mientras recibía con una sonrisa a la escéptica Lili y a su escéptico padre, quien tomó a su hija en brazos y la miró con miedo y anhelo mientras esbozaba algo parecido a una sonrisa.

—De acuerdo, lo intentaremos a tu manera.

Ella reconoció que era un gran paso para él, aunque sin garantías.

—Adelante —los recibió ella acompañándolos adentro.

April, de rodillas delante de una caja de adornos que había sacado de la casa de Frannie, miró a Patrick, que estaba sentado en el sofá intentando deshacer una maraña de cables mientras miraba con preocupación a su hija. Su hija estaba al lado de April rebuscando en la caja y sacando un adorno de vez en cuando para que April lo admirara y para romperle el corazón de paso. Una semana después, April había aprendido tres cosas: que quería a la niña, que quería todavía más a su padre y que dirigir una posada era coser y cantar en comparación con sacarlos del encierro emocional en el que se habían metido. Además, cada día estaba más tentada de pensar que no servía para eso. En un rincón, un pequeño abeto esperaba pacientemente a que lo adornaran mientras unos villancicos brotaban del iPod de April. La perfecta escena navideña, ¿no? Lo sería de no ser por la tensión del esfuerzo que hacían todos, que aunque algunas veces era casi imperceptible, otras hacía que todo saltara por los aires. Solo llevaban una semana y tenía que tener paciencia. La risa rutilante de Lili la sacó de sus meditaciones.

—¡Mira, April! —exclamó la niña enseñándole un Papá Noel bizco subido en unos esquíes—. Es muy gracioso.

—Es verdad.

Pensó que momentos como ese, fugaces como un abrir y cerrar de ojos, le daban la esperanza de que

Lili y ella pudieran congeniar y de que su padre pudiera dejar de contener la respiración algún día... como ella. Aunque, no había ayudado que esa mañana, mientras veían el desfile que abría las fiestas navideñas de St. Mary's, la madre de Lili llamara al móvil de Patrick. La llamada duró cinco minutos escasos, pero fueron suficientes para que la niña se pusiera de un mal humor que los siguió como un nubarrón hasta ese momento. ¿Quién iba a imaginarse que bastaría un ridículo Papá Noel para que la niebla se disipara? April, envalentonada, la abrazó con un brazo, lo cual, le mereció una sonrisa antes de que la niña se alejara intencionadamente. Según Mel, no podía tomárselo a mal y se lo había repetido cientos de veces durante la semana anterior... y seguiría repitiéndoselo el tiempo que hiciese falta. Estaba decidida a afianzar todo lo que había intentado mostrar a Patrick durante la semana; que los cambios de humor de Lili no iban a afectar a lo que sentía por los dos.

—¡Eh...! —April sonrió a Patrick—. El de las luces, ¿piensas tenerlas antes de Año Nuevo?

—Sí, papá —añadió Lili—, April dice que no podemos poner los adornos hasta que estén puestas las luces. Así que espabila.

La niña estaba de buen humor otra vez o al menos es lo que April quiso creer mientras contenía la risa. Hasta Patrick esbozó una sonrisa mientras la miraba a los ojos, una mirada que, desgraciadamente, era tan ambigua como siempre, aunque solo había pasado una semana...

—Sí, señora —dijo Patrick a Lili mientras se levantaba.

Enchufó el cable y empezó a ponerlo alrededor del árbol. April pensó que eso eran las margaritas, no las que tiraba, sino las que Patrick y ella iban reuniendo, esos momentos de tranquilidad y convivencia...

Las luces de colores le recordaron a Patrick su infancia, las que siempre tuvieron y seguían teniendo en el árbol que ocupaba la mitad de la sala de sus padres. Estaba intentando que su hija tuviera un hogar, que viviera una infancia tan apacible como la que había vivido él. También intentaba que April y él tuvieran la ocasión del algo más, aunque lo hacía tan a ciegas como con la paternidad. Además, intentaba por todos los medios ser paciente y abierto con ella, con Lili y consigo mismo. Oyó que Lili y April charlaban detrás de él mientras su hija elegía los adornos y dirigía la conversación. Los tres habían pasado juntos todo el tiempo que habían podido durante la semana anterior y ella nunca había perdido la serenidad ni había reaccionado a los arrebatos de Lili. La había visto irritada con él, con sus sobrinos o con los problemas de la posada. Era humana, pero no con su hija. Si acaso, había visto la compasión reflejada en su rostro... por ellos dos. No era una compasión fingida, sino que era parte de sí misma. Un ejemplo que hacía que él recordara quién era, en qué creía, lo que todavía quería a pesar del miedo que le oprimía el pecho. Por fin se reconoció a sí mismo que lo que quería era creer en algo para siempre como creía ella y que, quizá, podría absorber la confianza y el optimismo de April para poder ser lo que ella necesitaba, ser su héroe como quería serlo de Lili. Si no, ella tendría que cargar con todo y no le haría eso por nada del mundo.

Estaba intentándolo, pensó mientras April se levantaba para hacer chocolate caliente en la cocina. Intentaba superar ese último obstáculo que lo separaba de ser normal, intentaba aceptar lo bueno que tenía delante aunque no pudiera ver más allá de sus narices... o todavía no se hubiese librado del pasado que seguía agarrándolo de los tobillos, si no de la garganta.

—¿Puedo ayudarte? —le preguntó a Lili con una sonrisa y una opresión en el pecho—. Te diré lo que haremos. Sujeta el cable para que no se enrede otra vez. Sujétalo entre las bombillas, pueden estar calientes.

—De acuerdo —la niña sujetó el cable por encima de la cabeza—. Me encanta la Navidad.

Patrick elevó una plegaria de agradecimiento. Quizá pudieran pasar bien las fiestas aunque Natalie no fuese a ver a su hija.

—Ya lo veo.

—¿Te gustan a ti?

—Claro —contestó él.

No tenía nada contra esas fiestas, pero no estaría colocando luces en ese maldito árbol de no ser por su hija, como tampoco se habría congelado clavando ramas de abeto en el porche de la posada de no ser por April, quien, al parecer, disfrutaba tanto de la Navidad como la niña.

Tiró del cable y se le escapó a Lili, quien se agachó con un suspiro y lo recogió con la frente arrugada, como si se le hubiese ocurrido algo.

—¿Papá Noel me traerá regalos?

—Claro, estoy seguro.

Ella se quedó un rato en silencio.

—¿Me traerá a mamá si se lo pido?

A Patrick se le cayó el alma a los pies. Fue como si hubiera oído los truenos que anunciaban una tormenta.

—Creo que eso es algo entre Papá Noel y mamá, cariño —contestó él con cautela.

—¿Podrías pedirle tú que viniera?

—Podría —contestó él con más cautela todavía—, pero no puedo obligarla a que venga.

—¿Por qué?

—Porque las personas no pueden obligar a otras personas a que hagan algo.

—Tú me obligas a que me lave los dientes y me acueste cuando no quiero.

Patrick agarró otro cable y lo enchufó al primero.

—Eso es distinto, cariño —le dio el extremo del cable a su hija—. Eso es cuidarte, no obligarte.

—¿Estás seguro? —preguntó ella con la nariz arrugada.

—Sí, estoy seguro.

Ella empezó a mover el cable como si fuese a saltar a la cuerda y las bombillas le golpearon a Patrick en las piernas.

—Lo colores se mezclan —comentó ella entre risas y Patrick resopló con alivio, hasta que...— ¿Por qué no voy nunca a casa de mamá?

—Eso tienes que preguntárselo a ella.

—Se lo pregunté por teléfono, pero no me lo dijo —él la miró y vio una lágrima que le caía por la mejilla—. ¿Por qué se marchó? ¿Hice algo mal?

Él dejó caer las luces y se sentó delante de su hija. Ella le acarició las cicatrices de la mejilla, algo que hacía para serenarse, según había comprobado unos meses antes.

—No, cariño, claro que no has hecho algo mal.

—Entonces, ¿por qué no viene casi nunca ni me deja ir a su casa?

¿De dónde había sacado todo eso? Nunca le había

preguntado esas cosas. ¿Era porque antes no se le había ocurrido o porque se lo había planteado por la presencia de April?

—Cariño, no sé por qué tu madre hace la mayoría de las cosas que hace. A lo mejor no quiere que veas su casa porque está desordenada o algo así, porque ha estado demasiado ocupada para ordenarla.

—Pero a mí me gustan las casas desordenadas —replicó Lili mirando alrededor.

—Lo siento, cariño, me gustaría poder contestarte, decirte lo que piensa tu madre, pero no puedo, aunque sé que te quiere.

Sintió otra vez la opresión en el pecho cuando los ojos marrones de Lili derramaron las lágrimas.

—Entonces, ¿por qué no quiere verme? ¿Por qué se queda un minuto y vuelve a marcharse?

Él abrazó a su hija con lágrimas en los ojos.

—No lo sé, cariño, no lo sé.

Oyó que April volvía de la cocina y que dejaba la bandeja en la maltrecha mesita. Sin decir nada, recogió el cable y empezó a colocarlo en el árbol. Lo raro fue que Patrick no supo si se alegraba de que estuviera allí o no. Entre eso y que tampoco sabía qué decirle a su hija, notó que el ataque de pánico intentaba abrirse camino dentro de él. Cerró los ojos, abrazó con fuerza a su hija y respiró profunda y lentamente, como le había enseñado el psicólogo, hasta que la amenaza se disipó. Sin embargo, ese instante en el que creyó que podía perder el dominio de sí mismo... No podía y menos en ese momento. Haría lo que fuese necesario para aliviar la presión.

—Las luces ya están —comentó April con delicadeza—. Lili, ¿quieres elegir el primer adorno?

Ella asintió con la cabeza contra el pecho de él y se

soltó secándose la nariz con la manga. April se rio, le dio un pañuelo de papel y la ayudó a sonarse, se comportó como si no pasara nada cuando era evidente que sí pasaba algo. No era tonta y tenía que saberlo.

Lili colgó el Papá Noel bizco, dijo que tenía que ir al cuarto de baño y salió corriendo. Patrick se dejó caer en la butaca que había junto al árbol con la cara entre las manos. Menudo héroe tan raro era.

—Toma.

April le ofreció una taza de chocolate aunque la esperanza se esfumaba dentro de ella. Durante los diez minutos que había tardado en hacerlo, la tensión se había disparado.

—El chocolate caliente lo cura todo, te lo prometo —añadió ella.

Él levantó la cabeza al cabo de un momento y esbozó media sonrisa.

—Gracias —Patrick tomó la taza y dio un sorbo—. ¿Qué has oído?

—Lo suficiente.

Lo suficiente para comprender que ni los desfiles ni adornar árboles ni el chocolate caliente iban a arreglar las cosas por arte de magia, que ni ella iba a arreglar las cosas por arte de magia. Aunque Lili ya se había ganado su corazón, no podía ser lo que la niña quería: su madre. Al menos, por el momento. Quizá, con amor y paciencia, las cosas podrían dar resultado en el futuro, pero si Lili y Patrick, sobre todo Patrick, estaban demasiado anclados en el presente para confiar en eso, para confiar en ella... Se dio cuenta de que ninguno de los otros reparos de Patrick habían significado nada. Ni sus dudas sobre sus motivos para haberlo elegido ni la inexperiencia sexual de ella ni el dolor por el abandono de su esposa. Ni siquiera el problema de confianza en sí mismo que le quedaba por su aspecto. Sin embargo, lo que pasaba con su hija era mucho peor que todo eso junto y ella no podía hacer absolutamente nada. Se sentó en la vieja mesita y notó el pulso acelerado en las sienes. Habían hecho unos planes maravillosos para esa noche, entre otros, Patrick le había propuesto que se quedara para hacerse una idea de lo que podría ser la vida en el futuro.

Él, con la mirada perdida, dio otro sorbo, se dejó caer sobre el respaldo, dejó la taza en un brazo y se pasó una mano por los ojos. Su agotamiento evidente le desgarró el corazón.

—Algunas veces pienso que, si pudiera explicarle a Nat lo que está haciendo a su hija, podríamos arreglarlo, pero acto seguido pienso que no serviría de nada, que Lili no quiere explicaciones, quiere a su madre y eso es lo único que no puedo darle. No soporto sentirme tan inútil.

April pensó que era una frustración que solo sentían los fuertes, pero frunció el ceño.

—¿De verdad piensas eso? Al menos, tú estás con ella. Muchos hombres en tu situación habrían dejado a su hija con algún familiar y se habrían desentendido, pero tú, no.

—No —él la miró con unos ojos desconsolados—. Eso no quiere decir que no haya pensado algunas veces que habría sido mejor para ella que le hubiera dado la tutela a alguno de mis hermanos, a alguien que supiera lo que estaba haciendo.

April, incapaz de soportar su expresión de dolor, se dio la vuelta para tomar su taza de chocolate y se la llevó a los labios con una sonrisa.

—Entonces, supongo que eso deja a Luke fuera.

—Es verdad —reconoció él riéndose un poco.

April dejó la taza, se acercó a la butaca, se inclinó, le tomó la cara entre las manos y lo besó, pero no con demasiada delicadeza.

—¿Sabes cuánto valor se necesita para reconocer eso? —le preguntó ella cuando dejó de besarlo.

Él le tomó una mano con una leve sonrisa y una mirada como si quisiera disculparse.

—Esa costumbre que tienes de ver la parte buena de todo el mundo es muy molesta.

—Eso me han dicho —replicó ella haciendo un esfuerzo por sonreír.

Entonces, se oyó la puerta del cuarto de baño y April se incorporó antes de que entrara Lili.

—¿Te has lavado las manos? —le preguntó Patrick.

—Mira... —ella le enseñó las manos como si todavía estuvieran mojadas.

Luego, siguieron adornando el árbol como si no hubiese pasado nada, aunque ninguno de los allí presentes lo creyera. Ella solo podía imaginarse lo que estaba rondando por la cabeza de Patrick, aunque su reticencia a mirarla más de dos segundos seguidos le indicaba todo lo que tenía que saber. Por fin terminaron el árbol y fue como un resplandor mágico en esa habitación destartalada. Después de admirarlo un rato, Patrick fue a acostar a Lili entre las quejas de la niña. April, con una opresión el pecho, fregó las tazas y volvió a la sala para recoger las cajas de adornos vacías y guardar algunos juguetes en la cesta que había junto a la televisión. Le gustaba esa habitación. Esa mezcolanza de cosas gastadas y que habían sido de otras personas formaba algo cálido y atractivo a pesar de las paredes blancas y la moqueta beis. Además, Lili estaba presente en todos lados. Desde el caballete de plástico que había en un rincón hasta los dibujos y cuadros colgados en una pared; desde el perro rojo que ocupaba otro rincón hasta los libros de cuentos repartidos por la mesita. Todo decía a gritos que esa era su vida, que esa era ella.

Con las manos heladas, amontonó los libros, recogió su chaquetón y su bolso y se sentó en el borde de la butaca donde había estado sentado Patrick. Los colores del árbol de Navidad se le difuminaron en los ojos empeñados de lágrimas mientras lo esperaba haciendo un esfuerzo para no salir corriendo. Eso habría sido impropio de ella. Sintió que algo le atenazaba las entrañas cuando lo oyó por el pasillo y él frunció el ceño cuando la vio con el bolso y el chaquetón.

—¿Te marchas?

Una ligera nevada empezó a caer justo cuando se levantó. Se había entregado plenamente a eso, como Patrick, que se había entregado más de lo que ninguno de los dos habría podido imaginarse hacía un mes. La idea de darse por vencida, de renunciar a él, le espantaba. Aunque, claro, todavía podía cambiar de idea, ¿qué le impedía dejar las cosas, agarrarlo de la mano y llevarlo a su dormitorio? Entonces, oyó una especie de susurro que le aconsejaba que no lo hiciera. Solo había querido que estuviera contento, aliviar la tensión, y creía que lo había conseguido aunque solo hubiese sido un rato, pero, si el momento no era el propicio, no lo sería por mucho que lo deseara.

—Nunca quise empeorar las cosas para ninguno de vosotros dos.

—April...

—Por eso creo que es mejor que me marche.

Él se acercó y la abrazó con fuerza. Cuando notó que él tragaba saliva, cerró los ojos deseando... esperando...

—Lo siento —susurró él—. Lo siento mucho, pero, por favor... —le tomó la cara entre las manos para mirarla a los ojos—. No es culpa tuya —añadió él en tono atormentado.

Nunca le había dicho que la amaba. No lo había hecho para que no se hiciera ilusiones. April apretó los puños por el dolor insoportable, no menos insoportable porque hubiese sabido que iba a recibir el golpe. No sabía cómo era posible que el corazón le latiera todavía, si le latía...

—Yo también lo siento.

Él la besó y la mató un poco más antes de que se separara, recogiera sus cosas y se marchara. Milagrosamente, se sobrepuso mientras conducía, aunque, en ese momento, no le importaba gran cosa vivir. Llegó a la posada, entró por su entrada privada para no encontrarse con nadie y pensó que, efectivamente, estaba portándose como una quinceañera melodramática. Como nunca tuvo motivo ni ocasión para ser melodramática cuando tenía quince años, supuso que iba con retraso, pero, si nadie la veía, ¿qué importaba? Llamaron a la puerta de su cuarto y dio un respingo.

—April... —le llamó Mel en voz baja—. Sé que estás en casa, te vi llegar cuando iba hacia mi coche. Creía que ibas a pasar la noche con Patrick, ¿ha pasado algo?

April abrió la boca para decir que no había pasado nada, pero lo único que salió fue un sonido parecido al de un animal herido.

—Voy a entrar...

Unos segundos después, estaba abrazada a su prima y sollozando sin parar.

Capítulo 11

EL crepúsculo había dado paso a la noche y Patrick estaba al final del paseo marítimo con Lili de la mano mientras docenas de barcos iluminados formaban un desfile náutico. Era otra de las tradiciones de St. Mary's que cada año congregaba más gente. Faltaban tres días para Navidad y había pasado una semana desde que April se marchó de su apartamento. Una semana desde que dejó que se marchara, desde que se dijo que era lo mejor, que nunca debería haberla mezclado en ese embrollo que él llamaba su vida, que él no tenía nada que pudiera satisfacerla.

Aun así, cuando la vio con Mel en la caseta de la plaza del pueblo, cuando la oyó reírse antes de que lo viera, sintió como si se desgarrara por dentro. Cuando Nat lo abandonó, sintió dolor, claro, pero, si era sincero, también sintió alivio porque ya no tenía que ver la desilusión en su cara ni sentir impotencia al intentar revivir algo que llevaba mucho tiempo muerto. Sin embargo, con April solo había el dolor de ese desgarro interior.

—No sabía dónde te habías metido.

Su madre se acercó y lo tomó del brazo. Se había limitado a decir a su familia que las cosas no habían salido bien entre April y él y, asombrosamente, nadie había dicho nada. Excepto Luke, quien le propuso que fuesen a emborracharse porque, al parecer, él también tenía algún problema con una mujer. Sin embargo, su madre, aparte de darle un abrazo, no dijo nada. Hasta ese momento, se temió.

—Aquí estoy, señora Noel.

Ella se rio. Su padre había representado a Papá Noel desde que Patrick tenía uso de razón. Incluso, tenía unas gafas de montura de alambre para que los chicos no pudiesen reconocerlo. Esa noche, efectivamente, había engañado a Lili. Patrick sintió un nudo en las entrañas al acordarse de la mirada de su padre cuando Lili le pidió que le devolviera a su madre.

—He visto a April —comentó su madre en voz baja para que Lili no la oyera—. Parece más abatida que tú.

—Yo también la he visto. A mí me pareció que estaba bien.

—Entonces, supongo que no la has visto de cerca.

—Fue ella quien rompió, ma...

—¡Hola, Lili! —todos se dieron la vuelta para ver a su hermana Frannie—. Un amigo del tío Neil nos ha invitado a salir en barco para ver mejor las luces, ¿quieres venir?

—¿Puedo? —preguntó Lili mirando a su padre con una sonrisa irresistible.

Esa noche había estado contenta, quizá porque había podido hacer su petición a Papá Noel. Además, si había echado de menos a April, no lo había dicho.

—Bueno... —contestó Patrick con un suspiro muy exagerado—. ¡Pero que se ponga un chaleco salvavidas! —le gritó a su hermana cuando las dos salieron corriendo—. Menuda encerrona.

—Prefiero pensar que ha sido cosa del destino —replicó su madre entre risas.

—Mamá, habría terminado antes o después.

—Porque ya tenías decidido cuál sería el resultado —su madre le dio unas palmadas en el brazo cuando notó que se había puesto tenso—. Algunas veces, las relaciones no cuajan y otras es preferible que no lo hagan, lo sé, pero también sé que cuando una ruptura deja infelices a la dos partes, como a April y a ti, es que algo está mal.

—Ma...

—Que Natalie te dejara no quiere decir que...

—April se marchó.

—¿Qué hiciste tú para evitarlo?

—¿Qué te hace pensar que podría haber hecho algo? Lili está pasándolo muy mal por su madre y lo mejor fue terminar antes de que alguien saliera malparado.

—Antes de que llegaras a necesitarla demasiado, quieres decir.

—Estás metiéndote donde no te llaman.

—Salvo que me dé a la bebida por tu culpa, seguiré metiéndome donde no me llaman porque te quiero. Lili y tú os merecéis a alguien especial en vuestras vidas.

—Os tenemos a vosotros. Estamos servidos.

—No puedes aprovecharte de nosotros toda la vida y lo sabes.

—¿Piensas que estoy aprovechándome de vosotros? —le preguntó Patrick con indignación.

—Sí. Somos fiables, estamos aquí y es fácil. Además, siempre estaremos para Lili y para ti, claro. Sin embargo, sinceramente, Patrick... llega una mujer preciosa y cariñosa que adora a Lili y puede aguantar tu mal humor crónico y ni siquiera te has planteado luchar por ella... No niegues con la cabeza, jovencito. Vi cómo mirabas a April cuando salisteis a cenar la semana pasada y, sobre todo, vi cómo te miraba ella. Te aseguro que nunca vi a Natalie mirarte así.

—Mamá, por favor, basta ya, ¿de acuerdo?

Él consiguió unos cinco segundos de tranquilidad antes de que ella le acariciara la espalda.

—Eres una de las personas más valientes y generosas que conozco, pero también eres una de las más tercas... y gracias a Dios porque, si no, habría un par de hombres que no estarían vivos. Es más, no recuerdo que jamás hayas reculado ante un obstáculo o que hayas renunciado a algo porque existiera la posibilidad de que saliera mal... o pudieras salir malparado.

—¿Y porque la felicidad de alguien estaba en juego? —preguntó él enojado—. ¡La de Lili y April!

—¿Y la tuya?

—Eso no es importante —contestó él mirando hacia otro lado.

—No seas ridículo, claro que lo es. Lili nunca se sobrepondrá hasta que tú lo hagas. ¿Qué ejemplo estás dándole si no dejas de encerrarte en ti mismo?

Sonó el móvil de ella, lo sacó y leyó el texto.

—Es tu padre que me pregunta dónde estoy —ella escribió algo y volvió a guardárselo en el bolsillo—. Está muy bien dar, pero no sirve de nada si nadie puede recibir.

Dicho eso, lo abrazó y se alejó entre la multitud para buscar a su padre. Patrick, que habría preferido beberse un litro de aceite de ricino a haber mantenido esa conversación, miró a un padre con sus hijos y se dirigió hacia la plaza. Se sentía un extraño entre esa multitud fastidiosamente alegre. En un rincón de la plaza estaba la vieja iglesia para recordar a todos de qué se trataba todo ese jaleo... o debería tratarse. A un lado de las escaleras había un nacimiento de tamaño natural y el leve resplandor que salía por las puertas abiertas invitaba a entrar, aunque solo fuera para ver las famosas vidrieras. Hacía muchos años que no entraba en una iglesia y muchos más en esa, pero entró sin saber por qué. Quizá fue por nostalgia de aquellos tiempos cuando todo le había parecido mucho más sencillo o por la música de órgano, probablemente, un ensayo de la misa de gallo. Por costumbre, mojó un dedo en agua bendita, se santiguó, inclinó la cabeza ante el altar y se sentó en un banco al fondo de la iglesia casi vacía. El olor le pareció reconfortante, cerró los ojos y se dejó llevar por la música y la soledad.

—Patrick...

Ligeramente molesto por la interrupción, levantó la cabeza para ver a Blythe, la prima de April, quien estaba tan sorprendida de verlo como lo estaba él de verla a ella.

—No sabía que fueses católica.

—No lo soy. Estaba yendo hacia mi coche cuando oí la música y entré —ella sonrió—. ¿Dónde está Lilianna?

—Con la familia, pasándoselo como no se lo había pasado en su vida.

La joven alta y rubia vaciló, pero acabó señalando el sitio vacío que había al lado de él.

—¿Te importa?

—Creía que las iglesias eran refugios... —farfulló él.

Asombrosamente, la prima de April lo consideró como un permiso para que se sentara a su lado, aunque a metro y medio de distancia. Con el enorme bolso morado en al regazo, levantó la cabeza y miró los arcos durante un rato. Hasta que...

—April está destrozada por todo esto.

—No te metas, Blythe —replicó él en voz baja—. Valoro que las tres os cuidéis tanto, pero no me conoces y...

La risa de ella lo calló.

—¿Quién ha dicho que se trate de ti? —le preguntó ella con una mirada penetrante y media sonrisa—. Tienes razón, no te conozco y no sé lo que pasó de verdad...

—Lo que pasó fue que se quedó cegada por la... novedad —le interrumpió él con más resignación que tristeza—. Hasta que se dio cuenta de la cruda realidad y de que no podía sobrellevarla.

—¿La novedad...? Ah, ¿que fuiste el primero?

Él se inclinó y se apoyó en el respaldo del banco que tenía delante.

—No creo que una iglesia sea el sitio indicado para hablar de esto.

—Estoy segura de que Dios ha oído cosas peores. Además, ¿crees que un revolcón iba a nublar la cabeza de April o convertirla en lo que no es?

Él se giró hacia la prima de April con el ceño fruncido.

—¿Puede saberse qué quieres decir?

—Que es la persona más equilibrada que conozco, que no hace nada por capricho o sin haberlo pensado y haber sopesado las alternativas. Hay algún motivo para que te haya elegido. No sé cuál ni me importa, pero puedo decir con certeza que eso de la novedad no tiene nada que ver.

—Muy bien. Aun así, se marchó y la única diferencia entre lo que hizo April y lo que hizo mi exesposa es que April tuvo la consideración de terminar antes de que Lili sufriera.

La música cesó repentinamente y los últimos acordes se quedaron flotando un rato antes de que Blythe replicara.

—Doy por supuesto que conoces su vida familiar y su matrimonio.

Patrick asintió con la cabeza y sin saber a dónde quería llegar.

—¿Te contó que su marido le ofreció liberarla del acuerdo?

—¿Qué? —preguntó él con los ojos como platos.

—Al parecer, se lo ofreció varias veces y ella lo rechazó.

—¿Por qué?

—Porque lo quería de verdad —ella se encogió de hombros—. Además, había hecho una promesa. Sí, April es íntegra, tan íntegra que cumple sus promesas, que se mató a trabajar para mantener a su familia en vez de pulular por los centros comerciales mirando a los chicos como una adolescente normal —Blythe lo agarró dcl brazo—. Jamás abandona a alguien que le importa.

Patrick se levantó dando un golpe en el respaldo del banco con las palmas de las manos.

—Es posible que yo me equivocara —farfulló él con ironía mientras salía del banco.

—¡No lo entiendes, Patrick! No se marchó para salvar su pellejo, ¡lo hizo para salvar el tuyo!

Las palabras de Blythe retumbaron en la iglesia vacía y cayeron sobre él como ceniza volcánica. Se paró en seco, se dio media vuelta y la vio, de pie también, con los ojos brillantes y el bolso pegado al pecho.

—¿Por qué lo sabes?

—Porque no creo que esa mujer sepa anteponerse a nadie. Es un fallo en su código genético, pero... Si tuvo un motivo para elegirte, puedes estar seguro de que también lo tuvo para echarse atrás... y no fue por ella. Sin embargo, también te diré otra cosa, si le das un motivo para creer, para creer en ti, será tuya para toda la vida, créeme.

Patrick la miró un rato antes de salir del banco con la cabeza a punto de reventar. Un minuto después, también salió de la iglesia, se subió el cuello del chaquetón por el frío y se dirigió hacia la casa de su hermana. Ya no había casi gente y supuso que April se habría marchado hacía un buen rato. Se le empañaron los ojos porque la echaba de menos. La había echado de menos desde que salió por la puerta de su casa. Además, sabía que Blythe y su madre tenían razón, que se había marchado porque él no le había dado ningún motivo para quedarse. No había tenido el valor que ella necesitaba y se merecía. Sin embargo, ¿cómo iba a tenerlo si estaba aterrado? La verdad se alió con el viento y lo dejó sin respiración. Entonces, sonó su móvil. Con los ojos acuosos, lo sacó, miró la pantalla y sintió un nudo en el estómago.

—Nat, ¿puede saberse dónde te has metido?

—Lo siento, lo siento. Tenía que conseguir un teléfono nuevo y me quedé sin conexión a Internet. ¿Qué tal está Lili?

—Preguntándose cuándo volverá a ver a su madre

—contestó él inexpresivamente mientras entraba en la calle de su hermana.

Como su exesposa no decía nada, se detuvo y dejó escapar un suspiro.

—¿Qué querías?

—Tengo un empleo.

—Fantástico...

—En Chicago.

Él agarró con fuerza el teléfono cuando asimiló lo que eso implicaba.

—Chicago no está tan lejos...

—Quieren que empiece inmediatamente. Al día siguiente de Navidad.

—Pero vendrás a ver a Lili antes de marcharte, ¿verdad?

—No creo que sea una buena idea, ¿no? Vi... La última vez que estuve allí noté que estaba alterada. La oí llorar mientras iba al coche. Sé que te costará creerlo, pero me destrozó. No puedo... No me parece bien que nos hagamos eso otra vez.

—Pero Nat...

—Enfurécete todo lo que quieras, ya contaba con ello. ¿Crees que no sé lo mala esposa y peor madre que fui? —Patrick oyó que se sonaba la nariz—. Tengo que empezar de cero, todos tenemos que hacerlo. No puedo arreglar lo que rompí. Cuando lo intento, tengo la sensación de estropearlo más todavía. Tú... Lili y tú tenéis que seguir adelante. Encuentra a alguien que se mantenga a tu lado. Olvidaos de mí. Además, ella es pequeña todavía. Si desaparezco ahora, no será tan grave, ¿verdad?

—¿Estás tomándome el pelo? ¿Que nos olvidemos de ti? La niña no para de hablar de ti...

—¡Porque le doy falsas esperanzas! Como me hizo

mi padre durante todos esos años. Eso solo alarga el sufrimiento y yo no se lo haré a Lili. Tienes que creerme, Pat, es para bien.

—Entonces, ¿vas a fingir que tu hija no existe?

—No he dicho eso —replicó Natalie en voz baja—. Te aseguro que pensaré en ella el resto de mi vida... y que te amé. Pero vosotros necesitáis más de lo que sé que podré daros.

—¿Al menos nos dirás dónde estás?

—Claro —contestó ella antes de cortar la llamada.

En ese momento, el viento podría haberlo arrastrado hasta el mar y no se habría dado cuenta. Primero, su madre; luego, la prima de April; en ese momento, Natalie... No recuperó la respiración hasta que llegó a la casa de su hermana, pero cuando vio a su hija, volvió a perderla.

—¡Papá, estás estrujándome!

—Perdona...

Patrick soltó a su hija de un abrazo que seguramente pareció un poco... vehemente. Frannie le dio el chaquetón de Lili y lo miró con el ceño fruncido.

—¿Qué pasa?

—Nad... —Patrick suspiró al ver la mirada de su hermana—. Te llamaré luego, ¿de acuerdo?

—De acuerdo.

Patrick abrigó a su hija y Frannie le dio un abrazo. Su apoyo silencioso fue suficiente por el momento. Salieron y Lili no dejó de hablar durante todo el camino, pero mientras ella le contaba su visita a Papá Noel y lo increíble que había sido el paseo en barco, él intentaba ordenar todo lo que le daba vueltas por la cabeza. Sin embargo, al menos sabía una cosa, que no le contaría lo de su madre hasta después de Navidades. En cuanto a lo demás... Le costaba creer que una mujer tan increíble como April se hubiese enamorado de él tan deprisa, pero le costaba más creer que se hubiera enamorado él... y perdidamente. Se había resistido con todas sus fuerzas, se había dicho que era ilógico y una tontería en vez de aceptar ese privilegio, de confiar en que quizá, solo quizá, April fuese la recompensa por todo lo que le había pasado. Además, el miedo había sido su mejor aliado. El miedo a parecer un fracasado, el miedo a perder el inestable dominio de sí mismo delante de April, peor todavía que aquella noche en el restaurante, y que no pudiera hacer nada para evitarlo. ¿Y qué? Si perdía el dominio de sí mismo delante de ella, ¿creía que a ella iba a importarle lo más mínimo?

—¡Papá! ¡No estás escuchándome!

—Perdona, cariño —Patrick la tomó en brazos para recorrer la manzana que quedaba—. ¿Qué has dicho?

—Que le he pedido a Papá Noel que me traiga a mamá por Navidad. Le he pedido una cosa muy buena, ¿verdad?

Los problemas de Lili seguían plenamente vigentes, claro, pero se había olvidado de su petición con todo lo que había pasado esa noche. ¿Qué podía hacer? Había intentado por todos los medios que su pequeño corazón no se partiera tan pronto, pero se había impuesto una tarea imposible. ¿Habría estropeado una ocasión real de que los dos fuesen felices al imponérsela?

Llegaron al apartamento, entraron y encendió la luz antes de dejarla en el suelo.

—Sí... Has pedido una cosa muy buena, pero me temo...

Ella lo miró con los ojos muy abiertos por la emoción y a él se le hizo un nudo en la garganta.

—Mamá no va a volver, cariño.

Ella se sentó y se quedó tan quieta que Patrick no supo si lo había oído.

—¿Por qué? —preguntó ella mirándolo fijamente.

—Porque va a irse a vivir muy lejos de aquí.

—¿Demasiado lejos para venir a verme?

—Sí.

—¿Nunca? —preguntó ella tirándole de la manga.

No estaba seguro de que Nat no fuera a cambiar de opinión en algún momento y quisiera ver a Lili otra vez. Era muy impredecible.

—Nunca es mucho tiempo, demasiado. Me gustaría saber con certeza lo que va a hacer mamá, pero no lo sé. Sí sé, en cambio, que eres una niña muy afortunada por tener a tanta gente que te quiere. Yo, el abuelo y la abuela, los tíos, los primos...

—Pero tú eres el que más me quiere, ¿verdad?

—Claro —contestó él abrazándola.

Al cabo de un momento, ella se soltó, se bajó de su regazo y se metió el pulgar en la boca.

—¿Podrías encender el árbol?

—Desde luego.

Patrick se levantó, enchufó las luces y volvió a sentarse. Ella se sentó en su regazo otra vez para mirar el árbol y dijo algo que él no entendió.

—Tienes que sacar el pulgar de la boca, no he entendido lo que...

—He dicho que te has olvidado de April —dijo ella sacándose el pulgar de la boca.

—¿Qué?

—April —ella suspiró exageradamente y puso los ojos en blanco como si tuviera catorce años—. Cuando hablaste de la gente que me quiere, te olvidaste de April. Además, ¿dónde está?

Él sintió la opresión en el pecho de siempre y la abrazó con más fuerza.

—Está muy ocupada —contestó él mirándola—. Nunca habías hablado de ella.

—Ya lo sé.

—¿Por qué?

—Porque tú, tampoco —contestó ella encogiéndose de hombros.

—¿Ta cae bien?

—Claro —contestó ella poniendo los ojos en blanco otra vez.

Él estuvo a punto de soltar una carcajada. Su hija podía entrar en la lista de mujeres que estaban dispuestas a darle una lección esa noche. Se había empeñado en proteger a su hija y ella lo había entendido todo mucho mejor que él. Él había complicado las cosas, no Lili. Para su hija, el dolor por al abandono de su madre y lo que sentía por April eran dos cosas completamente distintas. El mal humor y el dolor siempre habían sido por su madre, no por April. No dudaba del afecto de April y era lo suficientemente lista y abierta para aceptarlo sin más. ¿Qué ejemplo estaba dándole él si no podía hacer lo mismo, si no podía dejar de preocuparse tanto por lo que podía pasar y se limitaba a aceptar lo que existía?

April decidió que era el día apropiado para unos pendientes de oro. Sacó el estuche de la caja fuerte que tenía en su cuarto, lo abrió y vio los anillos de boda que resplandecían a la luz de la mañana. Sin saber por qué, se los puso. No le gustó cómo le quedaban, parecían de otra persona y, efectivamente, pertenecían a otra vida. Podría venderlos... No necesitaba el dinero, pero tampoco necesitaba los anillos. Había apreciado a Clay y había respetado el compromiso de su vida en común, pero una vez concluida, le parecían como los aderezos de una actriz al representar su papel. Tampoco estaba muy segura de que lo que había tenido con Patrick fuese real, pero sí lo fue lo que sintió hacia él. Se quitó los anillos y los guardó en el estuche otra vez. Era muy raro que se hubiese enamorado tan profundamente en menos de un mes, en menos tiempo del que había tardado en elegir el color del salón. Se puso los pendientes y se alegró de que, al menos, durante el día hubiese estado tan ocupada que no había podido abatirse y de que por la noche estuviese tan agotada que caía rendida. Naturalmente, se despertaba cada mañana con un vacío en el pecho y había llorado en la ducha, pero se secaba, se vestía y salía a saludar a sus huéspedes. Después de desayunar, casi podía convencerse a sí misma de que algún día podría respirar como todo el mundo.

Volvió a guardar el joyero en la caja fuerte y salió a la sala, donde intercambió algunas palabras con una pareja de mediana edad. La buena noticia era que no solo había tenido la posada llena durante la semana, sino que habría podido llenarla dos veces. Incluso, había dado la habitación que había reservado para sus padres, había aceptado por fin que su madre no cambiaría nunca de opinión. En realidad, estaba aceptando que muy pocas personas cambiaban de opinión, al menos de las que ella conocía. Al fin y al cabo, ella tampoco podía cambiar lo que sentía de corazón. Eso era porque tenía sentimientos profundos y nadie podía convencerla de que era algo malo, como nadie podría convencerla de que se podía dar demasiado o reír demasiado o amar demasiado.

—¡Buenos días! —la saludó Todd cuando entró en la cocina.

Ella le sonrió. Todd estaba haciendo el turno de mañana para que Mel no perdiera la cabeza y a su futuro marido de paso. Por el momento, los desayunos eran cereales, bollos, fruta y yogur, aunque tanto Mel como él preparaban un desayuno caliente si se lo pedían.

—Buenos días. ¿Cómo va todo?

—El café está hecho, las jarras de zumo en su sitio... ¿por qué no sacas esa fuente con fruta y bollos y preguntas si alguien quiere una tortilla o algo así?

—Captado —contestó April entre risas.

April salió al comedor y dejó la fuente en el aparador. La habitación olía a café, estaba iluminada por la luz de la mañana y empezaba a llenarse de huéspedes hambrientos. Se pasaría por todas las mesas, los saludaría por su nombre y les preguntaría si querían algo caliente. La habitación era un hervidero de conversaciones, ruido de cubiertos y los gritos de algún niño. Sin embargo, no podía oír nada porque la sangre se le había agolpado en los oídos. Entonces, vio la mirada de Patrick y tampoco pudo ver nada más por las lágrimas.

Su silencio era agobiante, pero antes de que pudiera decirle a April que veía que estaba ocupada y que volvería más y tarde, el gigante rubio que ella había contratado salió de la cocina, los sacó afuera casi a empujones y afirmó que tenía todo controlado. Sin embargo, mientras ella lo llevaba al cenador con la cabeza baja y las manos en los bolsillos, Patrick se dio cuenta de que no tenía ni idea de lo que estaba haciendo ni de lo que iba a decir. Sabía lo que sentía y por qué estaba allí, pero le faltaban las palabras. Además, abrazarla y besarla, aunque era muy tentador, no le parecía lo correcto. Se decidió por la humildad, a las mujeres les encantaba, ¿no?

—¿Serviría de algo que reconociera que he sido un majadero?

April, ya en el cenador, lo miró por encima de un hombro, se subió a un banco y apoyó la espalda en la barandilla.

—Yo fui la que se marchó, ¿te acuerdas?

—Sí, pero yo lo permití.

Ella lo miró un rato y se estremeció, aunque quizá hubiese sido por el frío... Él se acercó con ganas de abrazarla, de demostrarle lo que no sabía si podía decirle, pero ella levantó una mano.

—Quédate donde estás. Es más, si retrocedieras un poco, mejor, porque tus feromonas están alterándome las células del cerebro y las necesito en este momento. Maldita sea, Patrick... —él se preparó para el torrente de palabras que se avecinaba—, si aquella noche me marché fue contra todo lo que siempre había creído de mí misma. Sabía que me necesitabas y que Lili me necesitaba. Sabía que nos necesitábamos los unos a los otros y... y fingir que podía dejar todo eso a un lado se parecía mucho a darme por vencida, algo que nunca hago.

—Lo sé...

—No he terminado —April se abrigó más con la bufanda—. Sin embargo, supe que estabas desorientado o que tenías miedo o que, sencillamente, no estabas dispuesto y no quería, por nada del mundo, atosigarte. Por eso me marché, no porque no me importara... —le cayó una lágrima y ella se la secó inmediatamente—.

Me importabas y me importas, así que, Patrick Shaughnessy, escucha con mucha atención —los ojos le brillaron con más lágrimas—. Puedo soportar los cambios de humor de Lili y su desengaño. Me encontré con tu madre y sé que Natalie.... Eso duele y lo siento, pero lo importante es que no me asusta nada de lo que puedas hacer, sentir o pensar. Si tienes pesadillas, te abrazaré hasta que pasen. Si tienes ataques de pánico, hablaré contigo hasta que te calmes. Estaré siempre a tu lado porque te amo. Os amo a los dos y me importa un rábano que eso sea un embrollo para ti, es lo que hay. No porque hayas sido el primero para mí, sino porque eres el único. Si no querías que me hubiese enamorado de ti, no deberías haberme trastornado la vida como has hecho... y no me refiero solo al sexo, aunque también tenemos que aclarar algo al respecto. Es posible que no tenga elementos de comparación y que eso juegue a tu favor, pero después de haber hecho al amor contigo, ¿por qué iba a querer hacerlo con otro hombre? Aunque cada molécula de mi cuerpo anhela que me acaricies... —ella se estremeció—, lo siento, pero tiene que ser todo o nada porque lo es para mí. Sin embargo, si no lo es para ti —ella señaló hacia al aparcamiento—, puedes marcharte.

Patrick tenía la boca encogida para contener la risa y el corazón por otro motivo. Entonces, como si alguien le hubiera dicho la respuesta a la pregunta más difícil de un examen, supo qué decir, qué hacer.

—Todo o nada, ¿eh?

—Sí.

—Entonces... —él se acarició la mejilla cicatrizada y luego se metió la mano en el bolsillo encogiéndose de hombros— supongo... que... solo puedo pedirte que te cases conmigo...

Él tuvo que agarrarla para que no se cayera por encima de la barandilla y aprovechó la situación para abrazarla.

—¿Puedo besarte ahora? —susurró él.

Ella asintió con la cabeza y la besó. Lo abrazó entre risas y llantos mientras se besaban una y otra vez y él se preguntaba cómo había podido pensar que podría renunciar a ella. Entonces, ella le puso una mano en el pecho, se apartó y lo miró con perplejidad.

—No... no puedes decirlo en serio.

—Si no vas a ninguna parte... —replicó Patrick encogiéndose de hombros.

—No —confirmo ella con una sonrisa de oreja a oreja.

—Entonces, podemos formalizarlo, ¿no? Además, Lili me dijo que, si no me casaba contigo, era idiota.

Esa mañana, durante el desayuno, había hablado con su hija para sonsacarle lo que pensaba y para cerciorarse de que no estaba siendo presuntuoso.

—No me lo creo.

—Es verdad y ya sabes que haría cualquier cosa por ella....

April se rio y él le tomó el rostro entre las manos para empaparse de la felicidad que se reflejaba en sus ojos, una felicidad que acababa definitivamente con cualquier vestigio de miedo y dudas.

—Como también haría cualquier cosa por ti porque te amo —consiguió decir él a pesar del nudo que tenía en la garganta—. Te necesito y juro que siempre te amaré y necesitaré.

—Patrick... —lo abrazó y apoyó la mejilla en su pecho—. Gracias...

Sonó el móvil de ella y Patrick la abrazó con más fuerza.

—No contestes.

—No puedo —replicó ella—. Es el tono de Todd y no me llamaría si no fuese algo importante —sacó el aparato y contestó—. ¿Qué pasa? —ella se quedó boquiabierta—. ¿De verdad...? No, no... voy ahora mismo.

April guardó el teléfono y miró a Patrick. Estaba a punto de llorar otra vez.

—Han venido mis padres... ¡Patrick! ¡Mi madre ha venido! Lo siento, tengo que ir...

Entonces, se dio una palmada en la frente, lo agarró de las manos y lo llevó hacia la casa para presentarle a sus padres. Él suponía que ellos no sabrían nada de su existencia y mucho menos de su aspecto. No supo si considerarla valiente o loca, pero eso hacía que estuviera más loco por ella todavía. A medio camino, él se detuvo, la giró y le sonrió.

—¿Significa esto que tenemos un compromiso?

—Intenta echarte atrás... —contestó ella entre risas.

Epílogo

PAPÁ Noel se había superado a sí mismo ese año, pensó April mientras se estiraba debajo del edredón de la cama Patrick. Todavía le quedaba una hora antes de volver a la posada. Se puso boca abajo para pasarle un brazo por encima del pecho desnudo. Él, con los ojos cerrados, sonrió y, repentinamente, se puso encima de ella.

—Feliz Año Nuevo —susurró él besándole el cuello.

—Ya lo dijiste anoche.

—Y puedo repetirlo. También se me ocurre otra cosa que podría repetir.

April le rodeó el cuello con las manos.

—¿Decirme que me amas?

—Estaba pensando más bien en demostrártelo, pero sí, eso también.

Ella dejó que le besara el cuello un poco más.

—Les caes bien a mis padres.

Sus padres habían vuelto a Richmond un par de días antes de Navidad, pero su madre ya le había dicho lo contenta que estaba por ella, por sus decisiones y sus elecciones, por todas. Ella no había buscado la aceptación de su madre precisamente, pero era agradable tenerla. Su madre todavía tuvo ciertos reparos por estar en la casa de su madre, pero estaba superándolo y eso era todo lo que podía pedir.

Patrick se rio y su aliento le excitó ese punto sensible debajo de la oreja.

—Me alegro de saberlo.

Entonces, se puso de espaldas, tomó la mano izquierda de ella con su derecha y notó el pequeño anillo que le había regalado la noche anterior. Un anillo que vio en un escaparate cuando, al día siguiente de Navidad, fueron a Annapolis con Lili y los padres de April. Sus padres adoraron a la niña, quien, a su vez, se quedó emocionadísima de tener otra pareja de abuelos. A April se le empañaron los ojos al acordarse de lo que le dijo Patrick la noche anterior, cuando le dio el anillo.

—Y yo que estaba tan contento... Hasta que llegaste y me demostraste que no estaba nada contento, que tenía un agujero dentro de mí con el que creía que podía convivir. Sin embargo, tú fuiste metiéndote y llenándolo, pero...

Él dijo que eso lo había aterrado, que luego se había acostumbrado a que el vacío fuese llenándose y, entonces, ella se marchó. Hasta que se dio cuenta de que la presencia de ella en su vida no era nada malo y que tenía que aceptarlo y rematarlo.

A April seguía constándole aceptar la decisión de Natalie de cortar su relación con Lili y él, aunque no dijo nada, por el momento... Ella tenía que resolver sus problemas y no eran de su incumbencia. Sin embargo, reunir la familia que Nat había dejado detrás...

—Ven —susurró ella con una sonrisa cuando Patrick la abrazó.

Era una misión que aceptaba.